JORN STRATEN

Feurio
Gedichte 1989 - 2021

1. Auflage 2021

Dieser Band umfasst folgende Gedichtbände:

»Deine roten Augen« 2020-2021, »Durch die Nacht« 2019-2020, »Tanz der Sirenen« 2018-2019, »Flaschenpost« 2010-2014, »Phantominsel« 2003-2008, »Sextant« 1989-1995

© 2021, Jorn Straten, Via Provinciale 134, 53040 Cetona (SI), Italien
Cover Photo by Jeremy Bishop on Unsplash

Das Werk ist urheberrechtlich geschützt. Die dadurch begründeten Rechte, insbesondere das Recht der Vervielfältigung und Verbreitung sowie der Übersetzung und des Nachdrucks, bleiben, auch bei nur auszugsweiser Verwertung, vorbehalten. Kein Teil dieses Werkes darf in irgendeiner Form (Druck, Fotokopie, Mikrofilm oder ein anderes Verfahren) ohne schriftliche Genehmigung des Autors reproduziert oder unter Verwendung elektronischer Systeme verarbeitet, vervielfältigt oder verbreitet werden.

Inhalt

Deine roten Augen.. 15
Kreise 16
Berlin 112 17
Santo Prepuzio..19
Vielleicht...20
Le Bar À Moules..21
Drachenflug 22
Abschiedsformel...24
Nachts im Freibad 26
Lebenslinie..28
Unsichtbar...30
Schon so spät 31
Fruchtlos 33
Kellerbar 34
Scully 35
Dreißigster in Hamburg 36
Schnellzug 37
Tacheles 38
Rotes Kriptonit, I: Der Traum....................................39
Faux Pas..41
Weihnacht...42
Sonne in der Nacht 43
Oneway...44
Campéole Plage Sud 45
Unten am Fluss 46
Kein Tropfen 47
Worte 48
Schwere See..49

Laut	50
Rotes Kriptonit, II. Die Wahrheit	51
Amor Vincit Omnia	53
Totes Holz	54
Wiener Prata	55
Ford Taunus im Harz	56
Deine Blauen Augen	58
Zeitmaschine	59
Im Schatten	60
Winterreise	61
Wanderlust	64
Weit weg	66
Purple Rain	67
Sechzig Minuten	68
Am Ende der Wahrheit	70
Gartenstuhl Larry	72
Stiller Freund	74
Reden ist Gold	76
Am Fenster	77
Leergut	78
Fundament	79
Bye, Bye Roadster	80
Endstation	81
Bierdeckel	82
Strandkorb	83
Mother	85
Wölfe	86
Druk	87
Zeit und Existenz	88
Sommerregen	89
Gute Reise	91
Lebenszeit	92
Partylöwe	93

Nebel 94

Durch die Nacht **95**
Der Bau 96
Schweigen... 97
Out Run 98
Molotov... 100
Klebstoff... 101
Im Schnee 102
Feuer im Wasser 103
Digga 105
Viel Rauch um Nichts...................................... 106
An seiner Seite 107
Stammtisch 108
Bild ohne Rahmen 109
Liebestod.. 111
Geprägte Freiheit 112
Erdgeschoss 113
No. 2: II Andante 114
Wut... 115
Anima 116
Auberge de la Loube 117
Letzte Fahrt.. 118
Eine neue Nachricht 119
Spiel des Lebens.. 120
Steinhuder Meer 121
Feuerwasser 122
Schatzsuche 123
Der letzte Atem 124
Hylia 125
Anne B. 126
Carbeque.. 128
Desolat 130

In Flammen	131
Relikt	132
Nyepi 1942	133
Backstage	134
Reverie	135
En garde	137
Theater 44	138
Horrormeldung	140
Schlangenhose	141
Schwarze Lilie	142
Bizarre Nacht	143
Einsamer Narziss	145
Disko im Harz	146
Der tote Blinde	147
Au Petit fer à Cheval	148
Komm zu mir	149
Beim Frisör	150
Altes Trikot	151
Melli	152
Haslisee	154
Tanzfläche	156
Kein Anschluss	158
Allein	159
Adagio	160
Adieu Susi	162
Losgelöst	163
Vier letzte Lieder	165
Parklatz mit Sternen	166
Sanfter Biss	169
Ex auf dem Klo	170
Lea sprang von Bord	171
Valentine	173

Tanz der Sirenen **175**
Zuckerwatte 176
Hovnorssjön 177
Geschrei 178
Ovids Bogen 179
Merlin 180
Cello 181
Einsamer Krieger 183
Im Sog 184
Toter im Maisfeld 185
Auf Wiedersehen 187
Macht der Musik 188
Luftschloss 189
Plastikpalmen 190
Flaschengeist 191
Herz in Ketten 192
Dieser Moment 193
Roadmovie 194
Wie ein Dieb 195
Shockers 196
Einsamer Strand 198
Land der Ahnen 199
Der Turm 201
Chouxchoux 202
Gehe in Frieden 204
Neben dir 205
Du Côté d'Orouët 206
Richtiger Mix 208
Frag das Orakel 209
Kaltes Bett 210
Geheimgang 212
Klungkung 214
Segel streichen 216

Leuchtend grün	217
Lovina	219
Offenes Ende	220
Nothafen	221
Fern das Ufer	222
Figurenspiel	223
Im Osten der Insel	225
Zeit und Raum	227
Fast zu viel	228
Sanduhr	229
Auf und Davon II	230
Es perlt so edel	231
Drei Kreuze	233
Replay	235
Ventil	236
Liberté Toujours	237
Vollmond	239

Flaschenpost 241

Lange Sommernacht	242
Sternzeichen Fisch	244
Avaritia	245
Reise Reise	246
Entre Deux Mers	248
Alter Ego	250
Einsam	251
Tuak	252
Zeitlos	253
Tretmühle	254
Nimm mich mit	255
Liebe und Wut	256
Djuröbron	258
Monarchie und Alltag	259

Schöne heile Welt 260
Sturm und Drang 262
Die wahren Verlierer 263
Vogelkäfig 265
30x40 267
Spelunke 268
Herz aus Stein 270
Hass 271
Vogelfrei 272
Verschoben 273
Synchron 274
Endlosschleife 275
Alles im Lot 276
Weißer Rauch 277
Alte Bilder und Realität 279
Bogey ist nicht tot 280
Zaubermeisterin 282
Regenzeit 283
Die Kälte 285
Geister die ich rief 286
Passé 288
Das Brennen in Dir 289
Saddam 290
Das ganze Theater 292
Flaschenboden 293
Anna 294
Am Anfang 295

Phantominsel 297
Superheld 298
Zypresse 299
Angst 301
Hasselkobben 302

Die letzte Fahrt	304
Ein Traum	305
Der Mann ohne Beine	308
Zeitdilatation	309
Alles passiert	310
Die Farbe Grau	311
Lichterloh	312
Goldrahmen	313
Tauchgang	315
Etude	316
Queen	317
Geistesblitz	318
Zehn Freunde	319
Vor Anker	320
Sommer 1990	321
Tanz den Nietzsche	323
Retrospektive	324
Strandnah	327
Blinder Passagier	328
Lagerfeuer	329
Die Stimme	330
Wir decken uns zu	333
Les Alpilles	334
Momentum	337
Barfliege	338
Durch die Nacht	340
Paradies	341
Bar Alphecca	342
Alles was bleibt	343
Kein Applaus	344
Totenstille	345
Im Rausch	347
Die Seele schreit	349

Schicksal 352
Filosofi Kopi 353
Trance 355
Schlaflos 357

Sextant 359
Fischer mit Frau 360
959 DK 48 361
Opus 43, No.5 363
Cabanon 364
Interlude No. 1 367
Prilblume 369
Nackt im Gras 371
Neuanfang 373
Le Grand Bleu 374
Momente 376
Pink turns Blue 377
Rondes de Printemps 379
Seelenfänger 380
Unter Sternen 381
Schatten 382
Möja 384
Gedankenblitz 386
Sommertag 387
Das Ende 389
Ozean der Zeit 390
Auf und Davon I 391
Wangerooge 392
Statt der Liebe 394
Galene 395
Chopin 396
Aquitanien 398
Clochard 399

D218 400
Die schwarze Rose 402
Jonny 403
Lady aus Shanghai 404
Wintertag 405
Halt Dich 406
Au Revoir Chérie 407
Lavafeld 409
Ricard 410
Trespassers William 411
Paradiesvogel 411
Alkohol 411
Macerata 411
Penida 411

Epilog - Die Feurio Playlist 413

Deine roten Augen

Kreise

Seeluft und
Meeresrauschen.
Deine ruhenden
Augen.

Alles dumpf.
So ruhig.
Die Seele
schwebt.

Barfuß in
den Dünen,
die warme
Sonne.

Nackte Haut
im Sand.

Möven
ziehen neidisch
ihre Kreise.

Berlin 112

Allein unter Freunden,
hoffnungslos betrunken,
im Taumel der Nacht.

Auf den Straßen Berlins
verlief oft alles anders,
als es sollte.

Die Hure neben mir,
sie tat mir leid, denn es
lief nicht so, wie geplant.

Viel zu viel war falsch,
in einer Zeit ohne Halt,
vielleicht sollte es so sein.

Vom Rausch beschützt,
selbstbelogen in der Nacht,
bis der Tag anbrach.

Auf dem Heimweg
einen stummen Schatten
in meinem Geleit.

Und jeden Morgen
diese Angst
vor dem Spiegel.

Ich konnte
nicht mehr hören,
wie leid es mir tat.

Du bist ein Schwein.

Berlin.

Santo Prepuzio

Auf einem Felssporn im Nebel
lag schlafend das Dorf
der Hippies und Hexen.

Die Suche nach der Vorhaut
von Jesus von Nazareth
führte nach Calcata.

Das Dorf wirkte, als ob
es auf etwas warten würde,
einem Zauber erlag.

Weder Hippies noch Hexen
oder gar Teile einer Vorhaut
kreuzten meinen Weg.

Und doch war dort etwas,
man konnte es fühlen,
etwas melancholisches.

Vielleicht war es die Luft,
die Träume durch die
Gassen trug.

Vielleicht

Vielleicht morgen,
wenn die Sonne durch
das Fenster scheint.

Vielleicht morgen,
wenn sie nackt auf
der Fensterbank sitzt.

Vielleicht morgen,
wenn die Glut ihrer Kippe
in der Kaffeetasse zischt.

Vielleicht morgen,
wenn die Kissenschlacht
in meinen Armen endet.

Vielleicht morgen,
wenn sie mich weckt,
mit einem feuchten Kuss.

Vielleicht morgen,
wenn sie wieder
neben mir liegt.

Le Bar À Moules

Trenet, Aznavour, Brassens,
Piaf, Bécaud, Brel, Gainsbourg.
Melodien, unsterbliches Timbre.

Frisches Baguette zerbrach
zwischen meinen Fingern,
tauchte in Muschelsud.

Mir wuchsen vier Hände
für Muscheln, Brot und Wein.
Der Sud, die Gier.

Die Bucht von Arcachon,
die Meeresluft, die Sonne,
Gitanes und guter Wein.

Sinne verloren sich,
wie Salz in der Luft.

Drachenflug

Er hielt sprachlos
zwei Flaschen Bier
in der linken Hand,
sie hatte ihn verlassen.

Unter ihrem leeren Glas
ein Zettel auf dem stand:
»Wir sehen uns wieder,
am anderen Ende der Welt.«

Er taumelte aus der Bar,
ging hinunter zum Strand,
wo er sie in Gedanken
vor sich sah.

Sie lachte, ihre Haare
wehten im Wind, er sah,
wie sie an der Schnur des
roten Drachen zog.

Sie lagen dicht an dicht
im warmen Sand,
teilten sich die
letzte Zigarette.

Und immer wieder
dieser rote Drachen,
der über ihren Köpfen
im blauen Himmel stand.

Er ließ sich treiben,
sie ließ sich fallen, er stieg
wieder auf, dieses feine
Rauschen im Wind.

»Wir sehen uns wieder,
am anderen Ende
der Welt.«

Abschiedsformel

Das ist für denjenigen,
der von den Wellen auf das
offene Meer getragen wurde.

Das ist für diejenige,
die mit Lippenstift am Spiegel
»Willkommen im Aids-Club« las.

Das ist für denjenigen,
dem die Kippe runterfiel und
dessen Auto sich überschlug.

Das ist für diejenige,
die auf ihrem Heimweg vom
Taxifahrer vergewaltigt wurde.

Das ist für denjenigen,
der sich mit seiner Pistole
durch die Hand schoss.

Das ist für denjenigen,
der mit tränenden Augen
von der Brücke fuhr.

Das ist für denjenigen,
der wegen Krebs
von uns ging.

Das ist für diejenige,
die wegen ihren Drogen
zu Grunde ging.

Das ist für denjenigen,
der von seinem Vater
geschlagen wurde.

Ich wollte Euch immer
etwas sagen, wollte fragen,
wie es Euch geht.

Und ließ es
immer bleiben.

Ich hoffe,
es geht euch besser,
dort, wo ihr seid.

Nachts im Freibad

Wir zogen uns aus,
rannten nackt durchs Bad,
zum weißen Sprungturm,
kletterten die Leiter
hinauf zum Siebener.

Dieser eine Windhauch,
ich sah ihre Gänsehaut,
als wir an der Kante,
an den Zehen vorbei,
in die Tiefe blickten.

Die Schwärze der Nacht
verhüllte alles, außer das
glänzende Wasser unter uns.
Es lag da, wie die Tür zu
einer fremden Welt.

Der Sprung Hand in Hand,
sie schrie vor Freude,
bis wir ins Wasser tauchten,
sich unsere Körper berührten.

Sekunden wurden Minuten,
bis wir auftauchten
und ich ihr Lächeln,
ihre grünen Augen sah.

Um uns herum
Blaulicht
und
Sirenen.

Doch auch sie
konnten uns nicht
mehr stoppen.

In diesem Sommer.
Neunzehnhundert
neunzig.

Lebenslinie

Wir essen, trinken, scheißen,
schlafen ein halbes Leben lang,
stehen immer wieder auf,
in dieser Wiederholung.

Wir suchen Freude, den Sinn.
Wissen von Trauer und Hass,
all das begleitet uns durch
Tag und Nacht.

Suchend nach der Hälfte,
tanzen wir blind an ihr vorbei,
in schrillen Nächten
und lauter Musik.

Ratlos klammern wir uns
an den Strohhalm der Freude,
sie lebt weit unten,
auf dem Flaschenboden.

Gekauftes Leben auf Zeit.
Das Haus am Meer, die Sonne,
der Regen unter einem Himmel
voll kleiner, weißer Wolken.

Dort lassen wir uns fallen,
verlassen uns immer wieder
auf den nächsten Tag.

Folgen dem Schicksal,
bis in den Tod.

Unsichtbar

Nachts tanzen
kleine Menschen auf
dem Felsen im Meer.

In der Dunkelheit
leuchten gelblich
ihre Augen.

Nur eine Handvoll
aller Menschen
können sie sehen.

Sie wissen schon,
warum.

Schon so spät

Er saß alleine am Tresen,
kurz vor halb zwei und
dachte über das Ende nach,
erinnerte sich an den Artikel
über das Leben nach dem Tod
und zwar als Baum.

Das klang besser, als in einem
der fünf Ozeane als Fischfutter
zu enden. Aber was passiert,
wenn der Baum gefällt wird,
werden dann Bretter
aus ihm gesägt?

Endet er einsam als Sekretär,
oder sogar als Barhocker?
Mit dem letzten Gedanken
konnte er sich anfreunden,
dann wäre er genau dort,
wo er sich immer frei fühlte.

Vielleicht wird dann sogar
ein netter Arsch irgendeiner
Blondine auf ihm sitzen.
Aber was, wenn sich
ein Fettsack mit fettigen Haaren,
stinkendem Schritt auf ihn setzt?

Dennoch klang es gut und er
würde es mit dem Anwalt klären,
dachte er, als er die Bartür
aufzog und, noch von
seinen Gedanken benebelt,
in die Nacht verschwand.

Als er die Straße überquerte,
erfasste ihn ungebremst
ein 40-Tonner mit der Werbung
"Nicht nur der Regenwald stirbt".
Er flog fast 10 Meter weit,
durch eine wunderschöne,
sternenvolle, dunkle Nacht.

Im Flug dachte er,
wie schön doch die Sterne
in ihren Konstellationen
dort oben am Himmel stehen,
daß sich niemand Zeit nimmt,
sie zu sehen.

Als er auf dem Asphalt aufschlug
und sein Kopf auf einer Seite
zur Ruhe kam, sah er
einen dicken,
fetten Wurm.

Also keine Blondine,
auch kein Fettsack.

Nur ein scheiß Wurm.
Mahlzeit!

Fruchtlos

Freunde sind verschwunden,
kann sie nicht mehr finden.
Flucht.

Manchmal glaube ich, daß sie
vielleicht nie existiert haben.
Zweifel.

Vielleicht würde es erklären,
warum ich sie nicht finde.
Wahrheit.

Sie suchen nicht nach mir,
den unvergesslichen Nächten.
Ratlosigkeit.

Verschwunden sind sie,
wie vom Erdboden
verschluckt.

»Verdammt,
wo seid ihr?«

Kellerbar

Laut
sollte
es sein.

Fett
sollte
es sein.

Den Blick
in den
Himmel.

So tief.

Unter
der Erde.

Scully

Damals im Park,
es ging so schnell, fast
zu schnell, als sie ihn
an ihren Körper zog.

Rote Strähnen über
ihrem offenen Mund.
Sie biss in seinen Hals,
krallte sich in seine Arme.

Später verließ kein Wort
ihre roten Lippen, auch
drehte sie sich nicht um,
als sie von ihm ging.

Im gelben Licht der
schwarzen Laterne
verschwanden sie und ihr
strahlend rotes Haar.

Wie die Glut seiner Kippe,
die zu Boden fiel.

Dreißigster in Hamburg

An der Bühne
mit vielen Frauen
an der Stange.

Tequila floss
von den Brüsten
einer Tänzerin.

Diese Nacht
in den Clubs,
wie ein Rausch.

Und Kalle ganz fein,
mit schwarzem Anzug
und Pilotenbrille.

Pures Leben
spiegelte sich
in den Gläsern.

Schnellzug

Wir gleiten auf Schienen
kopfüber
durchs Leben.

Freude, Trauer,
Ärger, Angst
und Ekel.

Emotionen tragen uns
immer weiter
davon.

Zuviel bleibt
verborgen.

Sonderfahrt.

Tacheles

Ein feuerspeiender Drachen
am Eingang der Bar spuckte
Feuer über meinen Kopf.
Im Café Zapata roch es
nach Aufbruch, Freiheit
und Kunst.

Dort trieb ich wie Nutten
und Touristen durch lange,
bunte Nächte.
Die letzte Künstler-Festung
Berlins pflanzte Worte
tief in meinen Kopf.

Ich las sie ein Jahr zu spät,
auf einem Poster,
im Klo dieser Bar.
Noch heute sind sie dort.
Leben weiter in mir,
diese Worte.

*Heinz Rühmann darf
nicht sterben.*

Rotes Kriptonit, I: Der Traum

Tania saß auf der Bank am See.
Sie lachte, rauchte, trank mit ihren
neuen Freunden, sah gut aus
mit den langen blonden Haaren.
Sie trug helle, hautenge Jeans, ein
tief ausgeschnittenes, schwarzes Top.
Um ihren Hals ein schwarzer Choker.
Sie lachte leise, verhalten.

Sie sah mich, kam lasziv zu mir,
Risse der Hose zeigten braune Haut.
An einem Bein über dem Knie, sah
man ihre schwarze Netzstrumpfhose.
Ich gab ihr Feuer, sie erkannte mich,
erwachte wie aus einem Traum,
hinter einem Schleier, der sie
lange Zeit gefangen hielt.

Sie küsste wie beim ersten Mal,
unsere Körper berührten sich,
wir hielten uns fest, als ob die Zeit
nie zwischen uns stand.
»Wo warst Du nur?«, fragte ich.
»Ist doch egal. Lass uns
einfach abhauen. Wir haben
unsere Zeit verloren« sagte sie.

Sie lächelte, schwankte, hatte
zu viel getrunken. Ich öffnete
die Tür vom Auto, schnallte sie an,
drückte die Zündung und gab Gas.
Sie saß regungslos neben mir,
mit weit geöffneten Augen,
schaute aus dem Fenster
in feuriges Abendrot.

Noch immer war es warm
und die Kronen der Fichten
steckten wie Messer im
blutroten Himmel.
Eine Träne glitt über ihre Wange,
hinunter zum Kinn und fiel dann
wie in Zeitlupe auf meine Hand,
die ihre festhielt.

»Ich lass dich nicht mehr allein«,
sagte ich. Und sie antwortete
»Ja, ich weiss.«

Faux Pas

Es waren die Schreie
brennender Herzen
in dunklen Gassen.

Es waren die Geräusche
abgetretener Autospiegel,
die den Asphalt küssten.

Kleine Rebellionen
die Frust nahmen,
Frust gaben.

Sie fühlten sich gut an,
diese Schreie, tief
aus deinem Körper.

Aktion.
Reaktion.

Weihnacht

Fast ein Baum, wie aus
dem Wald, voll üppiger,
biegbarer Zweige.
Ein Traum von Baum,
in stattlicher Größe,
aus Kunststoff, nadelfrei.

So steht es in der Beilage
in chinesisch und zehn
weiteren Sprachen.
Kein Geruch nach Holz,
klebendem Harz und
frischen Nadeln.

Irgendwie werde ich
diese Worte nicht los,
sie hämmern im Kopf.
Schnell aufzubauen,
Platz sparend, bis
zum nächsten Mal.

Macht sich ganz,
ganz klein.

Sonne in der Nacht

In der Nacht vor mir
ihr Haus, ein mit Schiefern
beschlagener Schädel.
Die Kiesel trafen ihr Fenster,
bis das Licht anging,
die Sonne eines Planeten.

Sie stand nackt im Fenster,
warf ihr Haar zur Seite,
verschwand wieder.
Ihre Haustür sprang auf,
warmes Licht brach die
Dunkelheit in Hälften.

Die Treppe hinauf zur Tür
ihres Zimmers, ich folgte
Schritt für Schritt,
dem Pfad ohne Tugend.

Ich sah nicht zurück.
Trat ein, in eine Zuflucht
auf Zeit.

Oneway

Diese Leichtigkeit,
die uns fand, ohne,
daß wir sie suchten.

Diese Leichtigkeit,
die uns schweben ließ,
bis wir tief fielen.

Diese Leichtigkeit,
die sich vor uns verbarg,
tief in ihrem Versteck.

Diese Leichtigkeit,
die in uns entglitt.

Campéole Plage Sud

Unter freiem Himmel zu schlafen
gehört zu den schönsten Dingen
im Leben.

Außer.

Morgens um vier, nackt zur Musik
von Jimmy Hendrix
auf dem Autodach zu tanzen.

Um im perfekten Moment
Excuse me, while I kiss the sky
zu schreien.

Das gibt Ruhm, viele Lichter.

Aber auch wütende Stimmen
und ein Fettsack mit Eisenrohr,
der dich anschreit:

»Geh! Geh, sofort!«.

Unten am Fluss

Wir sonnten uns nackt
auf einer Kiesbank im Fluss.
Gurgelnd floss das Wasser
an unseren Füßen vorbei.

Flussaufwärts der Isarauen
sprangen sie in den Strom.
Vor uns landete ein Eisvogel
auf einem Stein.

In einem Kanu glitt lautlos
ein Pärchen an uns vorbei.
Am Ufer knackten Hölzer,
wir hörten ein Stöhnen.

Und ich ging nackt
ins Wasser, ließ mich
flussabwärts treiben.

Am letzten Tag
eines unvergesslichen
Sommers.

Kein Tropfen

Verzicht auf Flügel,
den Rausch.

Die Sinnlichkeit
des Weines.

Nie werdet ihr
sie küssen.

Zitternd, rote
Lippen.

Worte

Manche Worte
stecken wie Nägel
in deinem Kopf.

Manche Worte
stecken wie Pfeile
in deinem Herz.

Manche Worte
leben weiter
in dir.

Manche Worte
wollen raus
aus dir.

Manche Worte
verstummen.

In
dir.

Schwere See

Wir hätten nie auslaufen dürfen,
in diesem alten Segelboot.
Wütendes Wasser zeichnete Gebilde,
Wellentäler formten Gesichter.

Das kleine Boot, in einem Meer
voll hässlicher Fratzen.
Aufgerissene Mäuler, spitze Zähne,
nach uns greifende Krallen.

Wir sollten nicht hier sein,
soweit draussen.

Nicht hier,
in ihrem Reich.

Laut

Lass uns lachen.
Laut lachen.
Lass uns die Nacht
vertreiben.

Lass uns tanzen.
In dieser Sommernacht.

Lass uns lachend
um die Häuser ziehn.

Ein Leben lang.

Rotes Kriptonit, II. Die Wahrheit

Tania saß auf der Bank am See.
Sie sah sehr mager und bleich aus,
lachte schrill, rauchte, trank mit
Punks, hatte kurze schwarze Haare.
Sie trug zerrissene, schwarze Jeans,
einen Nietengürtel, ein schwarzes
Misfits shirt und um den Hals
ein spitzes Nietenhalsband.

Tania blickte zu mir rüber, kam
langsam auf mich zu, wollte Feuer.
Meine Hand zitterte, als die Flamme
aus dem Feuerzeug schoss.
Ich gab ihr Feuer, sie zog an
ihrer Kippe, blies mir den Qualm
ins Gesicht und ging wortlos zurück
zu ihren neuen Freunden.

»Tania!«, rief ich ihr laut hinterher.
Sie drehte sich um, schaute verstört.
In diesem Moment begriff ich,
die Zeit hatte alles zerstört, sie erkannte
mich nicht mehr, trotzdem lief ich zu ihr,
packte sie am Handgelenk, sah
Schürfstellen an ihren Handknöcheln
und zerrte sie zum Wagen.

Ihre Freunde rannten auf uns zu,
der Typ mit dem Irokesenschnitt
und Hundekette um den Hals schrie
»Verpiss Dich!«. Er zückte ein Messer
und ich ging rückwärts zum Auto,
stieg ein und fuhr los.
Sie stand weiter da, lachte irrsinnig,
schaute hoch, in feuriges Abendrot.

Noch immer war es warm
und die Kronen der Fichten
steckten wie Messer im
blutroten Himmel.
Eine Träne glitt über ihre Wange,
hinunter zum Kinn und fiel dann
wie in Zeitlupe auf eine glühende
Kippe, die am Boden lag.

»Du läßt mich wieder allein«,
flüsterte sie. Ich fuhr und
dachte »Ja, ich weiß«.

Amor Vincit Omnia

Liebe.
Du stiller Egoist.
Unsere Achillesferse.

Führst nicht immer
nur Gutes im Schilde,
führst harte Kämpfe.

Liebe.
Du stiller Egoist,
richtest deine Waffe auf uns.

Da stecken vier
gravierte Kugeln
im Lauf.

Ich lese schwere Worte.
Anerkennung, Sex,
Zärtlichkeit, Verständnis.

»Komm, drück ab!«

Totes Holz

Hier starben Möbel,
starben Bäume
auf Knopfdruck.

Zum zweiten Mal.

Hinter Glas presste Uwe
alles in Form, nur bei ihm
wollte es nie so recht klappen.

Seine Thermoskanne füllte er
dreimal am Tag, sie stank
nach billigem Schnaps.

Und immer, wenn
das Warnsignal ertönte, ein
rotes Licht blinkte, sah man ihn.

Sein bizarr verzerrtes Gesicht.

Ein teuflisches Grinsen.

Wiener Prata

In der Achterbahn,
auf glühenden Gleisen,
brennenden Rädern.

Mit Vollgas durch Kurven,
kopfüber durch eine
schillernde Nacht.

Er lachte, er schrie,
man sah blutrote Adern
in seinen Augen.

Er war gierig,
voller Lust.

In seinem Herz
steckten Freikarten
fürs Leben.

Ford Taunus im Harz

Seit Stunden fuhr er schon
durch diese Dunkelheit.
Die Scheinwerfer bohrten sich
wie Pfeile in die Nacht.

Richter's "She Remembers"
durchdrang kalte Dezemberluft,
als er die Worte »Machs gut...«
auf seinem Handy las.

Seine irrsinnige Wut,
wurde zu Trauer,
ein einsamer Schrei
in der Dunkelheit.

Er drehte am Knopf,
schaltete das Licht aus
und fuhr weiter
durch die Dunkelheit.

Scheinwerfer rasten
an ihm vorbei, als er
auf die Bremse trat.

Sein Auto stand quer,
über beide Streifen, Motor
und Licht waren aus.

Er liebte sie.
Er liebte dieses Auto.
Das dachte er.

Als er
in zwei Lichter
sah.

Deine Blauen Augen

Sie liegt vor mir,
ihr Blick, mir wird warm,
wie damals.

Sie lächelt,
ihren Kopf im Nacken, mein
Daumen an ihren Lippen.

Dieses Lächeln, ihre Augen.
Ich verliere mich in
ihren blauen Augen.

Ich tauche ein,
in dieses blau.
Atme es.

Treibe dahin,
durch Raum
und Zeit.

In einem Ozean
der Freude.

Zeitmaschine

Dieses Glas vor mir,
mit ihm stoppe ich
die Zeit.

Lachend steige ich
in meine
Zeitmaschine.

Sie will Schnaps,
viel Schnaps,
sonst fliegt sie nicht.

Wir reisen
zu unvorstellbaren
Orten.

Freitags
wartet sie schon
auf mich.

Für unsere Flucht,
in die Vergangenheit.

Im Schatten

Die Farbe des Meeres,
Gischt, warmer Sand
unter deinen Füßen.

Von wo kommt
der Wind? Sag mir,
brauchst du das?

Benebelter Blick,
hinter dem Schleier
digitaler Welten.

Siehst du mich?

Ich, der Schatten
neben dir.

Winterreise

Sie auf dem Sofa neben mir.
Im Haus mit Pool und Sauna.
Trinken, schweigen - cut.
Vollbekleidet in der Sauna.
Vodka floss auf die Steine.
Ich ging, ein Stoß, mein Fall.
Ein sauberer Pool, dank Chlor.
Ich sank zu Boden, blieb dort.
Wie Buddha, still und rein.
Fern der Dekadenz.

Aufgetaucht aus diesem Reich.
Triefend nass, zurück zu ihr.
Krank lachende Menschen.
Puppen bewegten sich starr.
Teure Bilder, Lippen, Brüste.
Brennende rote Augen, Chlor.
Eine Feuertonne im Garten.
Nackte Yuppies lachten.
Sie saß wie tot da.
Auf dem weißen Ledersofa.

Triefend nass neben ihr.
Haare klatschten nach hinten.
Grauer Zigarettenqualm.
Eine Pfütze an den Schuhen.
Weiße, nasse Ledercouch.
Ihr böser Blick von der Seite.
Sie stand auf, verließ mich.
Ohne jegliches Wort.

Ein paar nackte Typen
rannten in den Garten.

Einer lief durch die Scheibe.
Glas zerbrach, seltsamer Ton.
Ein tiefer Zug, leerer Blick.
Der Garten, ohne Scheibe.
Keine Frau an meiner Seite.
Endlich kalte, ehrliche Luft.
Ich ging, teilte die Menge.
Zu viele grinsende Gesichter,
Ohren und teurer Schmuck.
Taschen voller Gold.

Die rettende Tür, nicht weit.
Draußen, die magische Stille.
Eine kalte, klare Winternacht.
Der nasse Mantel dampfte.
Meine Hose fror steif.
Einsame Schritte im Schnee.
Chlor, Rauch, Alkohol.
Rote Augen die brannten.

Weg von ihr, falschen Freunden.
Nur ich und der Weg in den Wald.
Überall glitzernde Schneekristalle.
Auf der Wiese, Bäumen, in der Luft.
Ein Märchen, das Leben hieß.

So ging ich dahin.
Mit Schubert's Winterreise.

Alles war besser.
Ohne sie.

Letzte Gedanken.
Dann verschwand ich.

Einsam,
im Wald.

Wanderlust

In über 27 Ländern
durch Sonne und
Regen gelaufen.
In 4 Staaten
verstrichen all
die ganzen Jahre.

In 6 Häusern
gelebt, geraucht,
gekotzt.
In mehr als 80 Betten
geschwitzt, gelacht,
geträumt.

In 6 Sprachen
gesungen, geredet,
verstanden.
In 40 Augen
vergeblich die
Liebe gesucht.

Und dann sah er sie.
In dieser kleinen Bar,
im Kneipenlicht.

Ein kleines Herz Tattoo
auf der Innenseite
ihrer linken Hand.

Das musste
das Zeichen sein,
mußte Liebe sein.

Weit weg

Träume flogen,
wie Blätter
durch den Wind.

So viele Träume,
zu viele Träume,
flogen vorbei.

Manche lebten
weiter in uns,
ganz ohne uns.

Purple Rain

Manche Lieder
sollten niemals
enden.

Genau, wie
dieser eine Kuss
von dir.

Deine Nähe,
deine Wärme.

Meine Hand,
unter deinem
Shirt.

In einer Nacht
ohne Ende.

Sechzig Minuten

Ich brauchte 2 Minuten,
um den Schlüssel in
das Schloss zu schieben.

Weitere 6 Minuten,
um unter eiskalter Dusche
fit zu werden.

Mir blieben 10 Minuten,
zum Anziehen und
den Weg zur Arbeit.

Nach 20 weiteren Minuten
war mein Körper
im Büro.

Nur 10 Minuten später
stand schwarzer Kaffee
auf meinem Tisch.

Ich brauchte 3 Minuten,
um einen kalten Kefir
herunterzuwürgen.

In nur einer Minute
fand ich den Kloschlüssel,
kotzte 4 Minuten.

Es blieben 5 Minuten,
die ich damit verbrachte,
aus dem Fenster zu sehen.

Nachdenklich vertieft,
über mein Leben.

Am Ende der Wahrheit

Er kam aus dem Nichts,
roch nach billigem Fusel,
Kotze und Schweiß.
Ein Schlag traf ihn am Kopf,
ein weiterer in den Magen,
Schmerzen am Körper.

Dann schlug er zurück.
Ein harter, kräftiger Haken
ins Gesicht eines Mannes.
Rote Blutspritzer
malten abstrakte Bilder
auf grauem Asphalt.

Ein harter Schlag am Kopf,
bevor er zu Boden ging,
die vielen Tritte spürte.
Ein greller Blitz,
ein Zucken im Körper,
dann wurde es still.

Er schwebte
durch Schwärze,
in einem langen Tunnel.

Immer weiter
dem Licht entgegen,
es war warm, so rein.

In der Ferne vernahm
er dumpf eine Stimme,
wie aus dem Nichts.

»Drecksau!«

Gartenstuhl Larry

Sein Traum wurde wahr,
als ihn Wetterballons,
mitsamt Gartenstuhl,
in den Himmel hoben.
Im Gepäck ein Luftgewehr,
Wasserkanister, Fallschirm,
CB-Funk, Sandwiches, Cola
und eine Kamera.

So flog er dahin, in seinem
Gartenstuhl, stieg auf
16.000 Fuß, das war
anders, als geplant.
Vögel begleiteten Larry
auf seiner fantastischen
Reise über Stromleitungen,
Häuser, Bäume und Parks.

Selbst in der Einflugschneise
des Long Beach Airports
sahen ihn Tower
und Piloten.
Er schoss auf seine Ballons,
Wasser floss
aus Kanistern, um
den Flug zu stabilisieren.

Larry flog 20 km weit,
bis seine Traumwelt,
nach zwei Stunden,
ein Ende fand.
Auf seiner Reise verlor er
Brille und Gewehr, entkam
dem Tod durch Strom,
aber nicht der Polizei.

Später war er Gast in
diversen Shows, sah
sein Konterfei auf Plakaten
für Uhren.

Er war ein Held,
doch echte Helden
sterben jung.

Am 6. Oktober 1993,
ging Larry tief in den Wald
und schoß sich ins Herz.

Stiller Freund

Letzte Woche an der Theke,
sah er mich von der Seite an.
Ein Hüne, ein Wikinger,
mit langen blonden Haaren,
an die zwei Meter gross.

Ich bestellte zwei Bier,
stellte eins davon
wortlos zwischen
seine riesigen,
tot daliegenden Hände.

Er sah mich überrascht an.
»Noch nie! Noch nie im Leben
hat mir jemand
ein Bier ausgegeben.
Dass vergesse ich dir nie!«.

Wochen später zu Silvester,
unter einem Himmel mit Raketen,
der falschen Frau im Arm,
begann das neue Jahr mit
einem Boxkampf mit ihrem Ex.

Schon einen Tag später, stand er
vor mir, geschwollenes Gesicht
und Augen wie matschige
Pflaumen. »Wir sind quitt,
dein Freund war das,« sagte er.

»Ich hab keine Freunde!«
antwortete ich. »Keine Ahnung«,
sagte er, »der sah aus, wie ein Wikinger,
er schlug immer wieder auf mich ein,
weinte fast und schrie.«

»Noch nie! Noch nie im Leben,
hat mir jemand ein Bier
ausgegeben.«

Reden ist Gold

Das Schwert des Schweigens
schmerzt wie ein Finger
in der offenen Wunde.

Schaut euch doch an!
Ihr lauft zusammen,
getrennt durchs Leben.

Und der eine Narr
denkt vom Anderen,
wie dumm er doch sei.

Habe ich Recht?

Vater?

Am Fenster

Von dort unten am Strand
hallt dumpfer Donner
zu mir hoch.

Schwarzer Himmel,
bald wird es regnen.

Und ich sitze hier oben
unter dem Dachgebälk,
direkt am Fenster.

Hoch über den Palmen,
an einem alten Schreibtisch,
am anderen Ende der Welt.

Leergut

Gefühle aus der Flasche
lebten oft nicht länger,
als einen Abend lang.

Das Gleiche
galt auch
für diese Zeilen.

Ich wollte sie sofort
meiner Schreibmaschine
entreißen.

Sie sollten vor mir
in lodernden Flammen
aufgehen.

Gefühle aus der Flasche
leben oft nicht länger,
als einen Abend lang.

Mein Plan ging schief.

Fundament

Selbst im Schlaf holen sie dich,
die alten Bilder, peitschen
ohne Rücksicht auf dich ein.

Deine Sehnsüchte und Wunden
drängen dich zurück, in
die immer gleichen Träume.

Du weißt von der Liebe, sie straft
mit harter Hand, steht wacklig
auf Pfeilern der Vergangenheit.

Finde neue Bilder, aber vergiss
die Alten nicht, das Fundament
von allem.

Liebe.
Was wären wir schon
ohne sie?

Wir wären nichts,
ohne sie.

Bye, Bye Roadster

Sie war mit ihm im Gletschersee,
ein paar Tage bevor er
mit seinen Augen die Welt erblickte.

Manchmal schlug der kleine Rebell
gegen den Bauch, als wir in Serpentinen
schönen Stunden hinterherfuhren.

So viele Kilometer hinter uns, doch wir
fuhren weiter durch die Nacht, dem Regen
und immer wieder, der Sonne entgegen.

Die Lenkradschaltung ruckte,
wie manches in den Monaten davor,
doch nun sollte es besser werden.

Und das wurde es,
ja das wurde es,
als ich in seine Augen blickte.

Als ich seine kleine Hand spürte,
die meinen Finger hielt.

Endstation

Im Zug des Lebens,
da sprach ein alter Mann
nachdenklich
in den Spiegel.

»Avec le temps,
va, tout s'en va.«

Im Zug des Lebens,
da schrie ein alter Mann,
schlug mit seiner Faust
gegen den Spiegel.

»Non!«

Im Zug des Lebens.
da weinte, sprach ein Mann
vor dem zersplitterten Spiegel.

»Je n'aime plus.«

Bierdeckel

Er liegt vor mir
und ich mag ihn
nicht mehr sehn.
All die vielen Striche,
wie falsche Wimpern,
verlogenes Mitleid.

Diese vielen Striche,
sie flüstern von
verlorener Zeit.
In denen ich lachte,
tanzte und, viel zu oft,
nachdachte.

Der Deckel vor mir,
zum ersten Mal
spricht er zu mir.

»Geh, da draussen
wartet das Leben.
Geh, geh endlich!«

Strandkorb

Die Sonne stand schon
oben am Himmel, als ich
im Strandkorb erwachte.

Das Jever von letzter Nacht.
Es spielte noch immer Ebbe
und Flut in meinen Kopf.

Blauer Himmel, grelles Licht,
helle Flecken in den Augen,
Bilder der letzten Nacht.

Große Silbermöwen glitten
über den Korb, verrieten alles
von mir.

Kellerbar Peterstraße,
wir tranken einige Stiefel,
sie kam aus Hamburg.

Wir wollten uns wiedersehen,
im Café Pudding. Ich schlief
gleich am Strand.

Die Uhr schlug zehn,
als sie ganz oben an
der Treppe stand.

Ihr Haar wehte im Wind,
sie lächelte, winkte mir zu,
an diesem Sommertag.

Bis der Regen prasselnd
an mein Fenster schlug.

Mother

Unter dem Fahrersitz
fand ich mein altes Tape,
auf dem *Danzig* stand.
Ich legte es ein,
drehte die Musik lauter,
fuhr meine alte Runde.

Durch das mittelalterliche
Breite Tor, folgte der Straße,
sah ein Haus, meinen Namen.
Weiter, einfach nur raus,
aus dieser Stadt und den
Straßen der Vergangenheit.

Zu spät erkannte ich
das falsche Spiel.
All das Geschwätz,
ihr langes Schweigen.

Verstrickt in Lügen.

Mother.
Father.

Wölfe

Im Alto Piano bei Chieti
heulten die Wölfe
in tiefschwarzer Nacht.
Draußen war es kalt
und wir saßen
vor dem Kamin.

Schwerer Rotwein
wärmte uns, schoss uns
in den Kopf.
Mein Blick galt der Sicht
ins Tal. Irgendwo dort
lag versteckt, das Meer.

Und dann sah ich ihn
zwischen den Tannen
stehen, einen Wolf mit
stechend roten Augen.

Wir starrten uns an.
Der Mensch,
das Tier.

Druk

Ich trinke nicht,
um zu vergessen,
sondern, daß die Zeit
still steht.

Es brauchte Zeit,
aber heute habe ich
es endlich wieder
geschafft.

Die Zeit steht still,
nur um mich herum
geht es weiter,
das kranke Leben.

Eine Welt im Fluss,
voll Hunger, Leid,
Krieg und Tot.

Ich trinke, um zu
vergessen.

Zum ersten Mal.

Zeit und Existenz

Der Spiegel an der Wand
zeigt dich und die alte Uhr,
ihr mechanisches Ticken,
dunkle, müde Augen.

Egal, wohin du gehst, in
welche Träume du fliehst,
es folgt dir Schritt auf Tritt,
dieses Ticken in dir.

Alte Bilder deiner Reise
kreisen in deinem Kopf,
als noch Feuer in dir war.

Auf deinen Lippen,
zwischen den Fingern,
in dir.

Tick. Tock.

Sommerregen

Schwarze Wolken, die
das Blau zur Seite schoben.
Dumpfes Grollen im Himmel,
das niemand verstand.

Feuchtwarme Luft, Regen,
der auf warmen Asphalt fiel.
Von den Haaren liefen Tropfen
über ihr Gesicht, Geschmack
von Salz im Mund.

Der Klang der Fahrradreifen.
Nasser, dampfender Beton.
Arme, die umarmten,
die Wärme ihrer Wange
an meiner Schulter.

Wir fuhren durch den Regen,
fort von bösen Orten,
in einen blauen Himmel,
den Schwur der Sonne,
daß alles anders wird.

Ihr weicher Mund,
der Lippen suchte.

Dumpfe Worte,
Versprechen.

All dies verschwand,
wie Tropfen im Asphalt.

Gute Reise

In vielen Hotels
findest du Sünder
und Freunde.

Am liebsten waren
mir diejenigen, die
Schweigen konnten.

Freunde, die zuhören
konnten, aber am Ende
ließ ich auch sie zurück.

Nach meinen Freunden
wurde auch beim
Checkout gefragt.

»Was hatten Sie
aus der Minibar?«

Lebenszeit

Stille Gassen,
kleine Wege,
die Berge.

Passé.
Irreversibel.

Die Zeit,
dein Leben,
so beschränkt.

Endgültigkeit.
Grenzen.

Nie wirst
Du frei sein
auf Erden.

Zeitlebens.

Partylöwe

Auf Parties lud ihn niemand ein,
doch er kam trotzdem überall rein.
Alle liebten ihn, wenn sie ihn sahen,
ihn anfassen durften.

Er roch so gut,
fast alle Frauen standen auf ihn.
Oft war er bei Leuten in der Küche
oder nahe der Couch.

Er hörte fast alles,
sprach aber selbst nie ein Wort.
Auf den Parties
war er immer der Letzte.

Ganz selten nur
sah man ihn mit einer Kippe.
Er war ein echter Partylöwe,
vielleicht beliebter als du.

Treviso.
Pizzakarton,
2-farbiger Druck.

Nebel

Das Zifferblatt floss
über sein Gelenk, wie
in den Bildern Dalis.

Der kleine Zeiger stand
auf der zehn, als er schwor
»Kein Tropfen mehr!«

In der Ferne das Nebelhorn
eines Schiffes, auf dem sie
an der Reling stand.

Und an ihn dachte,
während ihre Tränen
im Meer verschwanden.

Verfluchte Zeit,
es war zu spät.

Durch die Nacht

Der Bau

Ich ging hinab,
im finsteren Körper
des schlafenden Tieres.

Der Mond schien kalt
durch die Fenster, malte
Schatten auf Wände.

Aufgerissene Eingeweide,
die lauerten, um sich
zu schliessen.

Das Treppenhaus
sah Menschen lachen,
auch oft weinen.

Sah neues Leben
und auch den Tod,
der an die Türen schlug.

Raus, nur raus,
aus diesem Bau.

Schweigen

Teile blieben zurück,
in diesem Haus
am Wald.

Auch der Glanz
ihrer Augen,
in die er einst sah.

Die Tapeten
könnten Geschichten
erzählen.

Von vielen Küssen,
ihrem Lächeln.

Aber am Ende
halten sie lieber
ihr Maul.

Out Run

Den Fuß fest auf dem Gaspedal,
Musik vom Tape. So fahren wir
im Ferrari dem blutroten
Sonnenuntergang entgegen.

Durch Serpentinen, an der Küste,
über Panoramastrassen mit Blick
auf das Meer, durch Palmenalleen,
auf Kämmen und Gefällen.

Die Zeit gegen uns, aber was soll's.
Die Haare im Fahrtwind und
wir rasen lachend durch den Verkehr.
Am Checkpoint vorbei, Zeitbonus.

Mehr Zeit, wir brauchen mehr Zeit!
Weiter geht die Fahrt.
Es teilt sich die Strecke,
links oder rechts?

Am Ende wartet immer
der Ruhm

oder eine Prinzessin,
die um deinen Hals fällt.
Heute siegst du,
morgen verlierst du.

Highscore, gib
deinen Namen ein.

Molotov

Er stirbt einsam,
mit einer Kugel
in seinem Kopf.

Er stirbt allein,
mit einer Klinge
in seiner Hand.

Er stirbt vergessen,
auf dem Beton
eines Hochhauses.

Ein Rebell
trinkt vom Glas
des Märtyrers.

Ein Rebell
ist frei und geht
mit einer Explosion.

Wie der Molotov
in meiner Hand.

Klebstoff

Während wir dalagen,
dachte ich, wann wir
das letzte Mal
glücklich waren.

Doch sie sprach von
den Füßen der Geckos,
mit denen sie kleben bleiben,
wo sie möchten.

Nur das Glück,
das klebt
irgendwie nicht.

Lässt sich
nicht halten.

Im Schnee

Durch den Tiefschnee,
so schnell er konnte,
vorbei am toten Baum.

Das Herz hämmerte
gegen die Brust,
sein Atem gefror.

Schritte schwer wie Blei,
bis nichts mehr ging.
Schmerzen, Schweiss.

Sein Rumpf im Schnee,
den Körper vornüber
gebeugt.

So blieb er liegen,
wie der tote Baum.
Schnee schmolz
auf seinem Gesicht.

Aber es war gut,
es tat ihm gut,
so gut.

Feuer im Wasser

Letzte Nacht war ich dort,
lief heimlich durch das Bad,
es roch wie damals nach Harz,
Wasser und feuchtem Holz.

Eine Badehose tropfte am Haken,
ich sah den Tropfen beim Fallen zu,
sah sie platzen, zerfliessen,
wie Tränen der Vergangenheit.

Durch ein Fenster sah ich mich
zum Ponton schwimmen, sah mich
schlafend in der Sonne, spürte
sie wieder, vergangene Träume.

Und ich sah sie, wie sie ihre Haare
aus dem Gesicht wischte, das
Wasser glitzerte, wir uns küssten,
ganz heimlich unter dem Ponton.

Doch dann vermischten sich
diese Bilder mit Feuer,
viel Feuer und Rauch und
ich spürte das Ende von allem.

Letzte Nacht war ich wieder dort,
spürte ihre Lippen, ihren Körper,
die Vergänglichkeit.

Spürte ihr Herz und meins
im Wasser schlagen.

Digga

Allein ohne Schatten,
Tageslicht bleibt
der schlimmste Feind.

Allein mitten im Kiez,
durch dunkle Gassen,
in die Arme der Frauen.

Irgendwann weicht
die Nacht dem Tag, alles
verliert seinen Zauber.

Doch im Atem lebt
sie weiter,
die Freiheit.

Auf St. Pauli.

Viel Rauch um Nichts

»Rechts ran!«, schrie die Stimme
im Lautsprecher des Autos.
Roger Moore, ein Pappmaché,
unser Beifahrer, blieb cool.

Unterwegs auf unser Mission,
wer hatte da schon das Recht,
uns zu stoppen?

Außer der Staatsgewalt,
mit Blaulicht, Hupen
und viel Tamtam.

Wir hielten an.

»Alkohol, Drogen?
Habt ihr irgendwas
an Bord?«

Grinsend sagte ich
vom Rücksitz aus:

»Alles, was du
nie haben wirst.«

An seiner Seite

»Du siehst anders aus«,
sagte sie, als sie ihm
durch sein Haar fuhr,
ihn küsste.

Sie hatte Recht,
er fühlte sich anders,
als er in ihre schönen,
blauen Augen sah.

Genau wie damals,
als sie sich das
erste Mal trafen.

So einfach also,
dreht sich
die Zeit zurück.

Für einen Moment,
in die Vergangenheit.

Stammtisch

Liebt euch, leckt euch
gegenseitig den Arsch.

So lange, bis es weh tut.

Warum schaut ihr so?
Ist das was Neues?

Ihr mit euren tollen Plänen,
verschobenen Wünschen.

Hier,
in der Runde erzählt.

Und am nächsten Tag.
Vergessen.

Bild ohne Rahmen

Seine Scheinwerfer verloren sich,
doch er fuhr weiter, der Freiheit
entgegen, immer weiter hinein,
in dieses Nichts aus Weiss.

Es folgte der Fall, in eine Leere,
ein harter Aufprall, Scheinwerfer
zerbarsten, Kleinkram flog umher,
die Frontscheibe splitterte.

Blut war an seinem Kopf,
seinen Händen und dann war da
diese riesige Hand, die das Auto
aufhob, in dem er sass.

Ein Auge sah durchs Fenster.

»Das ist kaputt!« rief der Riese.
Er schüttelte das Auto,
alles schepperte, krachte,
flog umher.

Er war kopfüber, sein Gesicht
platt am Fenster, die Arme
bizarr verrenkt, wie die
einer kaputten Puppe.

Dann flog das Auto
durch die Luft, silberne
Metallgitter näherten sich,
ein weiterer Aufschlag.

Und alles wurde schwarz.

Das Letzte was er sah,
waren diese roten,
großen Buchstaben.

A-B-F-A-L-L.

Liebestod

Die Welt rächt sich.
An uns, die Menschen
ertrinken lassen.

An uns, die Kriege führen,
töten, stehlen,
lügen.

An uns, die Kinder
verhungern lassen.

Wir, diese Abart
von dummen,
brutalen Menschen.

Nein, man kann es der Welt
nicht übel nehmen, daß
sie uns auslöschen möchte.

Um diesem Spiel
ein Ende zu bereiten.

All das spricht
unsere Welt zu mir.

Ich kann es hören,
durch ein Genie
Namens Wagner.

Geprägte Freiheit

Du tauchst tiefer,
auf der Suche
nach dem Glück.

Tauchst hinunter,
mit schweren,
vollen Taschen.

Hebst die Kiste,
voller Gold, für
dein neues Leben.

Fährst davon,
im Boot mit
blindem Passagier.

Und die Gier
lacht unter Deck.

Erdgeschoss

Ganz oben im Turm
trank ich Sauren, bis
es nicht mehr ging.

Dann stolperte ich
die steile, enge
Wendeltreppe hinunter.

Schleifte mit meiner
Jacke an der Wand,
fühlte mich wie eine
Kugel im Lauf.

Im Erdgeschoss
blieb ich stehen,
vor einer schweren,
alten Holztür.

Hinter der eine Nacht
voller Abenteuer
auf mich wartete.

No. 2: II Andante

Wie auf einer Welle,
gleitet sanft die
feine Nadel dahin.

Schwarzes Vinyl
dreht mit magischem
Knistern.

Welch Klänge
einer grandiosen
Komposition.

Shostakovich
spricht zu uns,
berührt die Seele.

Ich danke Dir,
Dimitri.

Wut

Sie sind alle hier,
zum Fest des verbalen
Schwanzvergleichs.

Die Schlauberger,
Gutmenschen,
die Opportunisten.

Gestylte Hipster Bärte,
selbstverliebtes Gefasel.
Yoga oder vegan?

Auf meinem Teller
ein blutiges Steak.

Anima

So laufe ich
durch Tannenwälder.
Nur meine Schritte
brechen die Stille.

Mit mir
mein Schatten, der
versucht, sich von mir
zu lösen.

Ich stoppe erschreckt,
mit zitternden Knien,
während mein Schatten
teuflisch grinst.

Doch dann, so plötzlich,
reißt er sich los
und läuft davon.

Lauf nur zu!
Lauf weg!

Ich konnte dich eh
nie leiden.

Auberge de la Loube

Sehnsucht fand immer
die richtigen Mittel
und Wege.

Wir folgten ihr,
durch Schluchten
und Serpentinen.

Auf alten Spuren,
in Buoux, zurück
nach vielen Jahren.

Zurück zu Maurice, der
uns sagte: »Lasst euch
nicht wieder Jahre Zeit.«

Doch nur wenig später,
schloss Maurice
dieses Kapitel.

Ganz ohne uns.

Wir vermissen dich,
Maurice.

Letzte Fahrt

Wir segeln auf
offenem Meer,
durch Augenblicke
der Ewigkeit.

Spüren die Sonne,
den Wind
und das Salz
auf unserer Haut.

Folgen dem Licht
am Horizont, dem
unvermeidlichen
Ende.

Werden grauer
auf unserem Boot,
durch Raum
und Zeit.

Die Hand hält
das Ruder,
bis die Dunkelheit
uns holt.

Und wir als Stern
am Himmel stehen.

Eine neue Nachricht

Auf dem Display blinkt die Eins,
sein Zeigefinger drückt
den roten Knopf.

Gelöscht wird ihre Stimme
und später alles, was
von ihr übrig ist.

Er reißt die Kassette
aus diesem Monster
ohne Seele.

Schmeisst sie in den Müll,
zu ihren Sachen.

Dann zündet er alles an
und sieht zu, wie das Feuer
sein Zimmer erhellt.

Es fühlt sich gut an,
denkt er.

Das Feuer,
das ist ihm egal.

Denn er ist schon lange
nicht mehr hier.

Spiel des Lebens

Ich glaube, es passierte
zum ersten Mal, als es hieß
man solle Verantwortung
übernehmen.

Ich glaube, es fing an
mit dem Ende der Schulzeit,
als wir uns, als sich Freunde
aus den Augen verloren.

Als wir dachten,
daß nun alles besser,
neuer und
schöner wird.

Als wir dachten,
wir könnten
das Schlechte
im Menschen ändern.

Viele erwachten
als billige Kopie.
Was blieb denn
auf der Strecke?

War es das wert?

Steinhuder Meer

Am Ende des Stegs,
mit den Füßen im Wasser,
Cidre im Glas.

Wir sprangen umher,
wie wilde Pferde, wollten
nackt ins Wasser.

Am Ende des Stegs,
da küssten wir,
tranken wir.

Dort glänzten Ihre Augen
voller Freude.

Ließen keinen Platz
für einen Abschied.

Feuerwasser

Wenn Du
vergessen willst,
mach endlich auf.

Freust Du dich
denn nicht?

Komm schon, öffne mir,
reich mir dein Glas!

Gut so, weiter,
mach weiter so.

Reich mir
deine ganze Hand.
Ich nehm dich mit
in mein Reich.

Dort kümmer ich mich,
nur um Dich und
deine Erinnerungen.

Vertrau mir.

Schatzsuche

Die Suche nach dem,
was du
mal warst.

Was war passiert,
wen trifft die Schuld,
ich weiß ich nicht.

Lass uns suchen,
nach dem Schlüssel,
irgendwo im Nirgendwo.

Lass uns hoffen,
daß er noch passt,
in das rostige Schloss.

Der letzte Atem

Es war eiskalt an diesem Morgen,
im Dezember, als sein Atem
in der Luft gefror.

Als ein Bus vor ihm hielt und
die Tür mit einem Zischen öffnete,
wie das Maul einer Schlange.

Als er einstieg und der Fahrer die Tür
hinter ihm schloss, bevor er losfuhr,
mit seinem teuflischem Grinsen.

Da saß er hinter der Scheibe, sah
trostloses Leben, bevor er spürte,
daß Luft aus dem Bus entwich.

Und er sah wie sich alle panisch an
den Hals fassten, nach Luft rangen,
wie Fische an Land.

An diesem Morgen im Dezember,
als sich der Bus wie eine Dose
im Vakuum zusammenzog.

Hylia

Eine Zeit lang saß ein Clochard,
am Eingang der Tageszeitung,
und spielte, voller Sehnsucht,
auf seiner Okarina.

Auf der Decke vor ihm stand
eine Pappe mit den Worten:
»Wahrheit ist flexibel und
dehnbar, wie die Zeit.«

Erst gestern kam ich wieder
dort vorbei, sah verlassen
seinen Schlafsack, Hut
und Okarina.

Wo er sonst saß, lag einsam
seine Pappe - flüchtig waren
Worte gestrichen.

Nun war dort zu lesen:
»Wahrheit ist flexibel
und dehnbar.«

Sein erster guter Schritt,
nach ach so langer Zeit.

Anne B.

Wo bist du geblieben,
was ist dir passiert?

Stimmt es wirklich,
dass Deine Psyche
dich besiegte?

Sommersprossen,
schwarze Haare,
blaue Augen.

Stimmt es wirklich,
dass du nun ein neues
Leben führst?

Manchmal höre
ich noch
deine Stimme.

Wo bist du hin
auf deinen langen
Beinen?

Bist verschwunden,
lässt mir nur
dein Lächeln.

Wo bist du,
was ist passiert?

Keine Spur
führt mehr
zu dir.

Carbeque

Im gelbem Heckflossen-Mercedes
glitten wir dahin, über leere Straßen,
auf dem Weg zum Atlantik.

Krümmergrillen bei 37,2 Grad.
Schon bei Mimizan roch das Auto
wie ein verfluchtes Steakhouse.

Also hielt ich, öffnete die Haube
und spießte das Fleisch auf
die Spitze eines Regenschirms.

Die Freude versiegte, als ich
in das aufgerissene Maul
einer Bulldogge sah.

Er sprang durch die Luft, biss
wie im Blutrausch das Fleisch
vom Schirm und frass drauf los.

Wütend stieg ich wieder ein,
startete den Motor, trat voller Wut
das Gaspedal bis zum Boden.

Im Rückspiegel sah ich
den Hund nochmal.

Er sass einfach
nur da.

Und lachte.

Desolat

Einsam
lebt in uns
der Monolog
der Stille.

Einsam
lebt das Wort
im Käfig
ohne Schlüssel.

Einsam
lebt der Mensch
unter vielen
Menschen.

Einsam
lebt er
die Summe
der Momente.

Machtlos
sterben Worte,
sterben wir.

In Flammen

Am Waldrand
steht ein Baum
in Flammen.

Bilder tanzen
durch
sein Feuer.

Ein Kampf
der Schatten
ist entfacht.

In dieser
einen dunklen
Sommernacht.

Da steht
ein Baum
in Flammen.

Er brennt, er brennt,
verbrennt sich.

Relikt

Sie sagten ihr oft,
das sie ihr Leben
nicht im Griff hätte.

Aber sie liebte doch
dieses wilde Tier
in ihr.

Es war ihr wohl,
es hier und da
zu sehen.

Es herauszulassen,
aus seinem goldenen
Käfig.

Ein Relikt aus ihrer
Vergangenheit.

Das, was übrig blieb,
vom süßen Leben.

Nyepi 1942

Warmer, feuchter Wind,
damals so früh
am Morgen.

Die Blätter der Bäume,
lautlose Zeugen der Nacht,
strahlten so intensiv.

Erste Sonnenstrahlen,
blauer Himmel über
göttlicher Stille.

Alles strömte auf dich ein,
durchdrang dich,
atmete durch dich.

Diese Stille damals,
hinterm Haus.

Backstage

Distillers hören und von ihr
verwöhnt zu werden,
ist der Himmel.

Sie ist unglaublich,
schießt es mir noch kurz
durch den Kopf.

Bevor sich die Welt,
auch ganz ohne mich,
ohne uns, weiter dreht.

Sie macht weiter und weiter
bis mein Hirn vorbeischießt
an fernen Planeten.

Bis Sterne kollidieren
und Sonnen explodieren,
in meinem Kopf.

Ich liebe sie,
genieße den Moment
und das Leben.

Hier, mit ihr.

Reverie

Ich war betrunken, als ich
deiner Symphonie lauschte.
Debussy, ich danke dir.

Die Melodie floss durch
mein Blut und ich flog nackt,
im Sessel sitzend,
zu den Klängen
davon.

Über schneeverwehte Berge,
hohe Tannen, Wiesen, Felder,
Dörfer mit kleinen Häusern.

Ich flog über Wälder, Seen,
Lichtungen und Moore, spürte
Wärme, spürte Natur.

Zum Ende der Symphonie
landete ich mit dem Sessel
im Sand, an einem Ort,
den es nicht gab.

Ich erhob mich, ging ins Meer.
Erst ging ich, dann rannte ich
über das Wasser.

Bis zu der Linie am Horizont,
an der sich Himmel und
Erde berührten.

Dort endete meine Reise,
ich rang panisch nach Luft,
riss meine Augen auf.

Und war wieder daheim.

Ich hörte, wie die Nadel auf
der Platte in der Rille kratzte,
nach Ewigkeit suchte.

Genau wie ich.

En garde

Dein schlimmster Feind,
doch du bleibst stark.
Führst einsam deinen
scharfen Degen.

Blut wird fließen,
auch viel Schmerz.
Hinter schwarzem Gitter
siehst du sie.

Die Sehnsucht.

Du hörst,
wie sie erhaben
lacht.

Dann dieser Stich.

Und Dir wird klar,
daß du von Anfang an
verloren hast.

Theater 44

Ich war allein, mit Gedanken in
meinem Kopf, von diesem Theater,
mit schwarz glänzenden Wänden,
den weißen Kerzen, roten Vorhängen
und Tabakqualm in der Luft.

Eine Bühne, die echte Größen sah,
mit Tuchfühlung zum Publikum,
das an Bänken mit Holztischen
und Weinkühlern mitfühlte, lachte,
weinte, trank und rauchte.

Diese Bilder in meinem Kopf,
vom zweiten Abend mit ihr,
in dieser fremden Stadt,
diesem kleinen Theater.

Wir waren trunken vom Wein,
aber noch mehr trunken war ich
von ihr und dem Glitzern
in ihren Augen.

Ich erinnere mich oft
an diese Stunden.

Erst gestern hielt ich wieder
die Kassette vom Mitschnitt
dieses Abends
in meinen Händen.

An ihr klebte noch
der ausgerissene Artikel,
über das Aus
nach fünfzig Jahren.

Das Theater ging.

Doch sie, sie blieb hier,
in meinen Armen.

Spiels nochmal, Sam!

Horrormeldung

Ein Satellit flog einsam
über das Haus, während ich
trank und die Zeit verstrich.

Bilder von Haiti, der IRA und
Sarajevo im TV. Es ging um
Krieg und Frieden.

Tolstoi, das hättest du
sehen sollen!

Ein Foto von Kurt Cobain,
sein Nachruf am fünften April,
27 Tage nach Bukowski.

Ich warf die Flasche,
doch sie prallte ab,
am Konterfei von Cobain.

Rollte belanglos
über den Boden,
zurück zu mir.

Verdammt,
das passte alles
nicht zusammen.

Schlangenhose

Diese Hose so eng,
wie eine zweite Haut.

Meine Hand auf ihren
Beinen, der Innenseite,
auf ihrem Po.

Alles glatt, warm,
gut geformt.

Glatte Schlangenhaut
in meinem Kopf.

Rundungen.
Ein Tanz über Täler.

Liebe,
Erinnerung.

Schwarze Lilie

Du steht nackt vor mir.
Hältst eine Lilie
in deinen Händen.

Bist offen, wie sie.

Der Stempel der Blüte,
deine Lippen.
Ich will sie küssen,
deine Lippen.

Will blühen,
will leben.

Mit dir zusammen
untergehen.

Bizarre Nacht

Ich war voll, wie der Saal,
mit all seinen halbnackten
Gästen in Dessous.
An der Bar floss ein Getränk,
das aussah, wie flüssiger Beton,
in mein dreckiges Glas.

Trotz meiner Skepsis
schluckte ich das Zeug runter,
musste aber sofort würgen.
Ich wand mich vom Tresen ab
und sah einen dicken Mann
in Lederchaps vor mir.

Er trug ein Hundehalsband,
an den ihn seine Dame
an kurzer Leine hielt.
Die Dame war unglaublich dick,
sie trug Strapse, ihr Fleisch quoll
durch die Netzstrumpfhose.

Ihre Stilettos taten mir leid,
genau wie ihre einsamen
aufgespritzten Lippen.

Der Mann beugte sich ruckartig
nach vorne, riss sein Frauchen
zu Boden, kotzte auf seine Schuhe.

Dann schrie er laut: Frei-heit!
Und verstummte sofort.
Mir war klar, was er meinte.
Ich drehte mich wieder
zur Barkeeperin
und nickte ihr zu.

Sie gab sie mir mehr von
diesem Zeug, lächelte süß
und sagte:

»Geht doch, Schätzchen!«

Einsamer Narziss

Dieses Foto hier vor mir,
das passt doch nicht
zu dir.

Ich höre dich noch sagen,
komm meld dich
mal bei mir.

Nun lachst du mich an
von dem Foto, hier vor mir,
ein Zufall aus dem Netz.

Aufgequollen,
ungepflegt,
so stehst du da.

Du lachst von deinen
Fotos aus Paris,
Kuba und Mexico.

»Drück gefällt mir«,
doch ich kann es
einfach nicht.

Du lachst über alle,
über die Welt.

Aber ich sehe,
das du lügst.

Disko im Harz

Sie waren zu fünft,
doch sie tranken,
wie zehn.

In einer alten,
muffigen Hoteldisko
mit Pop Musik.

Erst nach Stunden
wollte der Barkeeper
die Zimmernummer.

Alles auf Zimmer 108.

Als er zum Telefon ging,
verließen die fünf
heimlich die Bar.

Sie stiegen ins Auto,
wie auf der Flucht.

Der Motor heulte auf,
quietschende Reifen.

Und aus dem Radio
spielte laut
Rock'n Roll.

Der tote Blinde

Seine Einkäufe warf ich
auf den Rücksitz meines Autos,
er brauchte sie nicht mehr.

Schlapp fiel ich in den Sitz,
steckte mir eine Zigarette an.

Die Strasse vor mir führte
durch einen dunklen Wald
mit großen Tannen.

Irgendwo dort drinnen
irrte nun sicher
seine Seele umher.

Ich sah sein Lachen, seine
krausen weißen Haare, das
stoppelige, friedliche Gesicht.

Traurig, dass er von uns ging.

Aber von dort, wo er jetzt ist,
kann er mich sehen.

Mit seinen Augen
und seinem Herzen.

Au Petit fer à Cheval

Die Zeiger der alten Uhr,
sie liefen hier rückwärts, für
einen achthändigen Meister.

Durch das Fenster der Küche
sah ich in sein Reich, sah,
wie er Flammen bändigte.

Ich roch seinen Zauber
aus Rotwein und
Kräutern der Provence.

Düfte schwebten dahin,
verließen sein Reich, durch
das Fenster einer weissen Tür.

Traumhafte Foie Gras,
Baguette und ein Traum in rot
aus Moulin de Gassac.

Leicht blutendes Entrecôte,
später frischen Chèvre
aus Fougeré.

Der Eingang zum Himmel,
der war hier, genau hier.

Hinter dieser weißen
Küchentür.

Komm zu mir

Sie war nicht der Typ
der jemanden hinterherlief.
Und das machte auch alles
kompliziert.

Für ihn.

Manchmal blieb das Gefühl
er sei überflüssig,
oder er störe sie, daß
sie allein besser klarkam.

Ohne ihn.

Dabei suchte er doch nur
ihre Nähe, ihre Arme,
ihr Gesicht an seinem,
vielleicht ein Kuss.

Für sich.

Beim Frisör

Nur die Spitzen sagen sie.

Niemand sieht den Dreck
zwischen ihren Zähnen.

Scheren tanzen im Stakkato.

Überall diese riesengroßen,
verzerrten Münder.

Geifer tropft aus ihnen.

Er fällt zu Boden, breitet sich
dort aus, wie ihre Lügen.

Eingesperrt.
Blutende Ohren.
Gestank.

Fickt Euch.
Alle!

Altes Trikot

Keine Frau im Arm,
aber Pornos nach Wahl.

Er wählt sein Programm,
statt langer Nächte
in teuren Bars.

Anonym im gratis Chat,
sich neu erfinden,
statt trostloser Parties.

Er schwitzt, spritzt, rennt
schneller, weiter, höher,
das Leben - ein Spiel.

Nur sein Freund,
der bleibt zurück,
packt es nicht mehr.

Liebe steht
auf seinem
Trikot.

Melli

Ich ging oft in diese Bar, die
schwarz und dunkel war,
wie meine Tage.

Dort spielte klassische Musik,
nur streunende Seelen
fanden sich ein.

Aber hier gab es Licht,
viel Licht, wegen Melli, dem
Mädchen hinter dem Tresen.

Sie war jung, blond, blauäugig,
hörte gerne zu. Sie schaffte es
oft, die Stimmung zu kippen.

Sie musste nur lächeln, oder
Feuer geben, sie roch
immer so frisch.

Das Klicken des Feuerzeugs,
ihre lackierten Nägel,
holten dich wieder zurück.

Diese Zuflucht wich der Zeit,
übrig blieben Michelin Sterne
über der Eingangstür.

Die dunkle Bar wurde hell,
viel Glas, alles in weiß, und Melli
kannte hier niemand mehr.

Melli, falls du das hier liest, ich
kam gern zu dir, auch wenn ich
darüber kein Wort verlor.

Ich hoffe, es geht dir gut.

Haslisee

Wir fuhren durch Maisfelder,
als erste Sonnenstrahlen
durch die Fenster blitzten,
sie erhellten alles im Auto,
wie gute Prophezeiungen.

Es war früh, aber schon warm,
meine Hand lag auf ihrem Bein,
ihrem Sommerkleid, sie lächelte
und strich sich die Haare
aus dem Gesicht.

Unter einer Buche hielten wir,
vor uns der See, in einer Senke,
umgeben von bewaldeten Hügeln.
Alles war so still, alles badete
in Unschuld.

Wir kletterten über den Zaun,
schauten uns
in die Augen,
zogen uns aus.

Standen nackt
in der von Morgentau
nassen Wiese, bevor wir
zum Wasser rannten.

Wir liefen über
den Steg des Sees,
sprangen in kaltes,
unberührtes Wasser.

Tauchten auf,
suchten uns, fanden uns,
hielten uns fest, ruderten
mit den Beinen.

Ich strich ihre Haare zurück,
spürte ihre harten Brustwarzen,
ihren nackten Körper an mir.

Wir küssten uns,
flogen davon.

Weit, weit weg,
an diesem Sommertag.

Tanzfläche

Der Whiskey half,
ließ mich tanzen,
davonfliegen, in
einen Traum aus
grünen Augen,
in die ich blickte.

In die Augen einer Frau,
die plötzlich vor mir stand
und ohne ein Wort, ihre Hand
in meine Hose schob.
Langsam, wie eine Schlange,
die nach unten kroch.

Ihre Hand, die unter
meinem Bauchnabel stoppte,
die grünen Augen,
die mich durchbohrten
und ihre Lippen
an meinem Ohr.

Ihre sanfte Stimme,
die flüsterte, dass sie dort
nichts spürte.

Außer Kälte.

Ihre Hand,
die sie wieder langsam
aus meiner Hose zog,
als jemand rempelte
und ich sie nur kurz
aus meinem Blick verlor.

So unglaublich kurz,
doch sie war weg,
einfach weg.

Ich suchte sie überall,
doch niemand
hatte sie gesehen.

Auch Wochen später
suchte ich sie noch.

Doch sie blieb
verschwunden.

Kein Anschluss

Zettel mit Liebeserklärungen
flogen durch den leeren Raum,
glitten dahin, wie Vögel im Wind.

Zerrissene Fotos, verstreut über
dem Boden, manche verdeckt
von einem Ozean aus Flaschen.

Im Raum ohne Möbel, nur noch
ein Telefon, allein in der Mitte,
wie eine Insel nach dem Sturm.

Das Telefon, schon lange tot,
nur ein ausgerissenes Kabel
trieb noch suchend umher.

Wie meine Gedanken.

Allein

Die Fratze des Todes
unter dem Seil.
Es stecken Scherben
im Fleisch.

Ewige Suche nach
Sehnsucht und Liebe.
Erschöpft auf dem Seil,
es bleibt keine Zeit.

Im Schädel verbluten
Erinnerungen.
So müde von allem.

Die Hand am Glas.
Allein.

Adagio

Die Blätter der
japanischen Ahornbäume
strahlten feurig rot
in der letzten Sonne
des Tages.

Von den Seiten der Allee
ragten riesige Äste,
wie schwarze Skeletthände,
über diesen brennenden Tunnel,
formten Gesichter.

Ein schwarzer Volvo
rollte lautlos hinein,
mit ihm tanzende Schatten,
teuflische Fratzen
auf seinem Dach.

Im Rückspiegel stand Zoe
auf der Mitte der Strasse,
langbeinig, breitbeinig im
rotem Mini, ihre blonden Haare
wehten im Wind.

Ein aufgerissener Mund,
ihr lautloser Schrei und
rote Blätter, die sich
um sie drehten.

Im Radio
spielte Mahlers
Zehnte
Symphonie.

Und Zoe
wurde im Spiegel
kleiner
und kleiner.

Bis sie verschwand.

Adieu Susi

Die Puppe kam als Geschenk
nicht an, trotz der drei Öffnungen
und des Bikinis, denn später hing sie,
mit Henkersknoten, im Baum.

Ich schnitt sie vom Seil, klemmte sie
unter die Arme, verliess die Party.
Das Beste an dem Abend war, daß
ich gleich ein Taxi erwischte.

Der Fahrer schaute perplex, als er uns
auf der Rückbank sitzen sass.
Ich zahlte im voraus und er fuhr uns
zügig durch die Nacht.

Als ich ausstieg, liess ich die Puppe
zurück, schaute dem Taxi nach,
sah sie unverändert dasitzen,
sah noch ihren roten Plastikschopf.

Die Bremsleuchten blieben aus
und so verschwand sie mit ihm
in der Dunkelheit.

Losgelöst

In der verstaubten Schachtel
lag noch immer das Tape.
Fast hatte ich es vergessen.

Ich nahm es, schob es
in den alten Rekorder,
startete das Tape.

Stimmen damaliger Freunde,
Gegröle, Lachen, Musik.
Kotzte da jemand?

Ich hörte, wie sie sprach,
wie die Quarter Münzen
gegen die Tasse schlugen.

Ich sah vor mir, wie sich
die Welt beim Flaschendrehen
um uns verlor.

Wie der Hals der Flasche auf
mich zeigte, ich meine Hand
an ihre Wange legte.

Wie wir uns küssten,
davon schwebten
mit Major Tom.

Losgelöst
von der Erde.

Vier letzte Lieder

Sie spielen Abendrot,
als sich der Himmel
blutrot färbt.

Und sich die Musik,
wie eine Decke,
über die Seele legt.

Oh Richard,
ich heb mein Glas
auf dich.

Wenn Du das hier
nur sehen könntest,
es hören könntest!

Wie dein letztes Werk
das letzte Licht
des Tages küsst.

Wie es nach uns greift,
ergreift und uns
davonträgt.

Und wir eins werden,
mit dem Abendrot.

Parklatz mit Sternen

Wir verließen die Bar mit
ihren Lügen, falschen Eitelkeiten
und fuhren hinaus
aus der Stadt.

Wir glitten dahin, vorbei am See,
der vor uns lag, wie ein schwarzer
Klavierflügel voller Träume
aus alten Sommertagen.

Die Strasse endete auf einem
einsamen Parkplatz, umgeben von
Tannen und einer schier endlosen
Aussicht zu den Sternen.

In der Mitte stand das Auto,
standen wir, stand die Zeit still,
als sie die Musikkassette in das
Radio schob.

Ich trank aus der Flasche und
sah zu, wie ihre Zunge
über das Papier der
Filterlosen glitt.

Die Musik floss durch unser Blut,
nahm ein Teil von uns mit,
hinaus in die Dunkelheit,
zu den Sternen.

Als ich kurz draussen war,
blieb ich vor dem Auto stehen
und tanzte im Kegel
der Scheinwerfer.

Hinter der Scheibe, illuminiert
ihr Gesicht. Sie lächelte sanft,
mit der Zigarette zwischen
ihren roten Lippen.

Ich öffnete die Beifahrertür,
fiel in den Sitz, strich ihr
die Haare aus dem Gesicht
und wir küssten uns.

Ohnmächtig spürte ich
ihre weichen Lippen, ihre
tanzende Zunge,
ihren feuchten Atem.

Mein Herz schlug,
es schlug wieder,
hinter beschlagenen Fenstern,
unter funkelnden Sternen.

Bis sie den Motor startete
und in mein Ohr flüsterte,
daß sie mich besser
heimfahren sollte.

Am Tag danach fing alles
wieder von vorne an.

Nur viel,
viel schlimmer.

Sanfter Biss

Sie lag ganz allein,
splitternackt in der Sonne,
auf der Wiese am See.

Wolken brachten Schatten
und sie spürte wieder diesen
sanften Biss in ihre Lippen.

Spürte ihn am ganzen Körper,
wollte ihn in den Armen halten,
ein allerletztes Mal.

Für immer würde sie ihn lieben,
würde sie ihn spüren,
auf dieser Wiese am See.

An diesem See
passierten Dinge.

Schöne Dinge.

Ex auf dem Klo

Hinter der dritten Klotür, die
ich in dieser Nacht eintrat,
saß ausgerechnet sie.

Ich sah blankes Entsetzen
in ihren Augen und starrte
auf ihren offenen Mund.

Sie saß vor mir,
zwischen ihren Fesseln,
die rote, enge Lederhose.

Ich sagte nichts,
grinste nur blöd,
fast arrogant.

Ließ meine Kippe fallen
und verliess sie.

An diesem Abend.

Zum zweiten Mal.

Lea sprang von Bord

Auf dem Segelschiff,
irgendwo in einer Bucht,
zwischen Griechenland und
der Türkei, war die Sonne
aufgegangen.

Auf dem Oberdeck stand Lea,
wie jeden morgen, so konnte sie,
durch das glasklare Wasser,
hinunter zu den Fischen sehn.

An diesem Morgen blickte sie
ins Wasser, wie in einen Spiegel.
Sie sah, daß ihre Hand
niemand mehr hielt.

An diesem Morgen,
als Lea sprang,
ihre Hände, ihr Kopf
ins Wasser tauchten.

Als sie hinunter tauchte
und noch einmal sah,
wie er hinter einem Riff
verschwand.

Als Sonnenstrahlen durch
das Wasser schossen,
sie die Wärme spürte,
ihn spürte.

Zum letzten Mal.

Valentine

Schwarze Klöppel bäumten sich auf,
schlugen ineinander wie Wellen,
bis vor mir ein Berg von Metall
und Buchstaben entstand.

Sie ragten aus der Olivetti,
wie schwarze Zungen aus einer Grube,
die sich fanden, umklammerten,
wie Schlangen im Liebesakt.

Eine Orgie der Buchstaben,
voller Worte wie Liebe, Freiheit
und Sehnsucht.

Die Zungen wollten etwas sagen,
mir etwas zeigen, aber
ich wusste nicht, was.

Ich liess sie verschlungen zurück,
nahm eine Zigarette, ging hinaus,
suchte nach Antworten.

In einer kalten,
schwarzen Nacht.

Tanz der Sirenen

Zuckerwatte

Einmal im Jahr stand
alles Kopf.
Gebrannte Mandeln,
Currywurst und Bier.

Und im Autoscooter,
bei guter Musik,
zogen sie verträumt
ihre Kreise.

Dieses Feuerwerk
voller Farben
in seinem Kopf.

Und dann,
am Schießstand.

Zeitlupe.

Er spürte ihren Kopf
an seiner Schulter.

»Lass uns gehen,
weit weg von hier.«
flüsterte sie.

Als die Rose
mit einem Schuss
zu Boden fiel.

Hovnorssjön

Letzte Sonnenstrahlen
fanden ihren Weg durch
die hohen Nadelbäume.

Die Schatten wanderten
langsamer, verwandelten alles
in einen Traum.

Diese Magie des Waldes,
die Schönheit der Natur.

Noch nie reichte sie mir so
ihre Hände, hielt mich fest
in ihren Armen.

Geschrei

Stampede in
meinen Kopf.

Risse im Boden.
Staub wirbelte auf.
Laute Trommeln.

Alles zitterte.
Alles bebte.
Wurde eins mit mir.

Es wollte raus.
Ich lies es raus.

Ovids Bogen

Er lief weiter zum
Fuße des Berges.
Im Köcher
auf seinem Rücken,
ein goldener Pfeil.

Seine Hand umschloss
fest den Griff
des Zauberbogens.
Die weiße Sehne war
unter Spannung,
voller Hoffnung.

Blitzschnell
schoss sein Pfeil
hinauf zum Mond.
Verschwand in
der Dunkelheit.

Ein Pfeil erreicht
immer sein Ziel.

Und mit ihm
die Hoffnung.

Merlin

Gestern Nacht
ritzten wir ein Herz
in den Holztisch
unserer Bar.

Gestern Nacht
waren alle betrunken,
aggressiv oder
deprimiert.

Gestern Nacht
schrieben wir
die letzte Seite
eines Buches.

Das Ende einer Bar.

Unserer Bar.

Alternative, Punks,
Rocker, Teds
oder Normalos.

Alle waren hier.

Und alle dachten,
Merlin wäre unsterblich.

Gute Reise.

Cello

Handgeschriebene Briefe,
Polaroids aus Frankreich.
Sie wirbelten wie welke Blätter
durch meinen Kopf.

Drehten am Rad der Zeit,
brachten mich zurück auf
den Weg zum Strand.

Vorbei an all den Bars mit ihren
gurgelnden Kaffeemaschinen,
klirrenden Löffeln auf Porzellan.

Der Duft von Baguette, Muschelsud,
trockener Weißwein
auf meiner Zunge.

Pastis in schweren Gläsern.
Meersalz in der Luft.
Alles durchmischt von einem
Hauch Piz Buin.

Französinnen, die hinter
vorgehaltener Hand lachten.
Kleingeld, das achtlos
auf dem Tisch landete.

Im Schatten einer Pinie,
diese Frau im Sommerkleid,
mit einem Cello
zwischen ihren Beinen.

All das konnte ich wieder
sehen, riechen und hören.

Unvergesslich.

Diese wunderbaren Klänge
ihres Cellos.

Aus diesem Polaroid
in meiner Hand.

Einsamer Krieger

Der Geist ruhte still,
wie ein Teich im Wald.

Bäume knarzten und der
Wind trug unsere Worte
davon.

Die Wahrheit war
schon immer
ein einsamer Krieger.

Einer, der selten
eine Schlacht gewann.

Im Sog

Wir wussten doch beide
von diesem Spiel auf Zeit.

Dennoch tollten wir umher,
schwitzten, lachten,
zerzausten uns die Haare.

Drehten uns im Kreis,
bis uns schwindlig wurde.

Nächte ohne Schlaf.

Immer wieder die Sonne,
die müde Augen küsste.

Eine letzte Nacht mit dir.

Und ich war wieder allein
mit meinem Spiegelbild.

Nackt, trunken,
auf schwachen Beinen.

Toter im Maisfeld

Und dann lief ich los,
über die grüne
Sommerwiese.

Lief hinein,
in ein angrenzendes
Maisfeld.

Scharfe Maisblätter
schnitten wie Klingen
in mein Fleisch.

Blut tropfte von
meinen Händen, die ich
schützend vor mich hielt.

Ich rannte weiter,
in diesem Labyrinth
aus Mais.

Doch plötzlich versperrten
lodernde Flammen,
Hitze und Rauch den Weg.

Ich stoppte
vor einer Feuerwand.

Schweißgebadet,
blickte ich über mir
in den blauen Himmel.

Bis ich eine Stimme hörte
und meine Umgebung
unscharf wurde.

Ich begriff, dass ich
in ihrem Bett lag.
Schweissgebadet.

»Das war nur ein Traum.«
flüsterte sie in mein Ohr.

Hoffentlich
hatte sie Recht.

Auf Wiedersehen

Ein Schlagbaum
teilte unsere Welten,
teilte das Leben.

Unterwegs,
im vollgetankten
Fluchtauto.

So brausten wir dahin.
Auf der Flucht
vor dem Bösen.

Auf der Flucht vor
diesem kalten Land.

Wir liessen alles
im Rückspiegel
zurück.

Auch die Menschen,
die noch kurz unseren
Mittelfinger sahen.

Macht der Musik

Schall hämmert
aus den Boxen.

Schreibt Bilder,
erzählt Geschichten.

Emotionen im Hirn.
Generationen mit
Melodien.

Eingebrannt.

Auf immer
und ewig.

Pochendes Herz,
Muskelkontraktionen,
Hormone spielen verrückt.

Musik spielt mit
der Nebenniere,
deiner Hypophyse.

Bedenk das alles.
Du, der die Musik
unterbricht!

Luftschloss

Auf Wolke Sieben
lag ein Schloss
in Trümmern.

Einst prächtig,
doch Zeit fraß
an seinen Mauern.

Bis kein Stein mehr
auf dem anderen lag.

Keiner mehr hier.
Alle sind schon
lange fort.

Schlaffe Schultern,
müde Hände.

Was antrieb, war
aus den Wolken
gefallen.

Hier oben auf
Wolke Sieben.

Mit den Knien
im Dreck der
Vergangenheit.

Plastikpalmen

Du hast gesehen,
wie die Ebbe den Müll
wieder zu sich nahm.

Die Götter des Meeres
über unsere Dummheit
voller Ärger weinten.

Du hast gesehen,
wie Fliegen und Getier
dem Fugu am Strand
die Augen auffrassen.

Fühltest die Übelkeit
in Dir, fühltest grosse
Abneigung gegenüber
den Menschen.

»Der Fugu hat es
schon hinter sich«,
dachtest du.

Braucht unser Ende
nicht mehr ertragen.

Flaschengeist

Gold und orangefarbene,
glänzende Lichtreflexe.

Ein Duft von Honigaromen,
Mandeln, Karamell, Tabak
und Trockenfrüchten.

Dieser zwanzig Jahre
alte Armagnac
in deinem Glas.

Aus ihm sprach der Geist
der Vergangenheit
zu Dir.

Er erzählte von der Liebe,
der Zeit und
vergangenen Tagen.

Herz in Ketten

In einer Kiste,
tief im Wald,
lag sein Herz.

In Ketten, mit
einem Schloss
aus purem Gold.

Der Schlüssel dazu
lag unter Wurzeln
und Moos.

Es gab nur eine Frau,
die ihn finden konnte.

Dieser Moment

Wenn die Wut in dir
aufsteigt, du alles
hinwerfen möchtest.

Dieser Moment,
wenn du aus der Tür
rennen möchtest.

Dieser Moment,
wenn du einen weiteren
Schluck nimmst.

Dieser Moment,
wenn du sitzen bleibst,
als wäre nichts passiert.

Und dich innerlich
vollkotzt.

Roadmovie

Mit Bleifuss ging es
dem Sonnenuntergang
entgegen.

Der Motor des Autos
sang ein trauriges Lied.

Banknoten wirbelten
aus dem Cabrio.

Der Highway rührte
wie eine gierige Zunge
im Sonnenuntergang.

Wartete schon
voller Erregung
auf den Untergang.

Wie ein Dieb

Und dann landeten
wir doch noch
in der Kiste.

Es war fast hell,
als ich, wie ein Dieb,
aus dem Haus schlich.

So bitterkalt,
mein Atem gefror
in der Luft.

Schnee knarzte
laut unter
meinen Sohlen.

Die Erinnerungen
der gestrigen Nacht
wärmten mich.

Laute,
Wortfetzen,
Bilder.

Und das auf uns
lastende Versprechen.

Das wir uns nie,
nie wieder sehen.

Shockers

Weißt du noch?
Als wir die Villa
des Grauens betraten?

Als der schwarze Tod
aus dem Bild an
der Wand sprang?

Wie uns der irre Metzger,
im blutverschmierten Kittel,
mit laufender Kettensäge jagte?

Wie wir Hand in Hand
durch dunkle Gänge liefen,
die Schwingtür auftraten?

Und dann mitten in
einer Bar endeten.

Weißt du noch?
Wie hungrig wir
aufeinander waren?

Wie der Alkohol durch
unser Blut floss und wir uns
in die Augen schauten?

Weißt du noch?
Wie mir dieser Freak seine
gepiercte Eichel zeigte?

Weißt du noch?

Wie wir die Nacht
zum Tag machten?

Wie die Vögel
auf dem Heimweg
für uns sangen?

Weißt du noch?

Einsamer Strand

Saphirblaue Wellen
brachen vor mir, wie vor
Millionen von Jahren.

An diesem Strand,
den schon viele suchten,
aber nur wenige fanden.

Kokosnüsse, Palmenblätter.
Feinster Sand rieselte
durch meine Finger.

Ein Vogel flog vorbei,
tauchte ins Wasser und
schnellte mit Beute empor.

Und ich sass da
und sang das Lied
vom einsamen Strand.

Land der Ahnen

Über diese Erde,
zwischen den Palmen,
liefen Deine Eltern,
liefst auch du.

Nun liegt
alles begraben,
unter Schichten
von Beton.

Darüber ein Hotel,
wie ein Flaschenkorken,
zum Schutz vor
der Vergangenheit.

Diese Straße war einst
ein Schotterweg,
an der stolze Palmen
in den Himmel ragten.

Was übrig blieb, war
bedrucktes Papier,
Zahlen mit Nullen
vor dem Komma.

Und Menschen die weiter lebten,
bis sie selbst Teil dieser
Geschichte wurden.

Einer Geschichte,
die, genau wie ihr Geld,
ein Ende finden wird.

Der Turm

Hier in
meinem Schloss,
hinter hohen Mauern.

Da draussen
die Hölle.
Alles brennt.

All die Toten.
All das Feuer.
Die Schreie.

Die letzte Flucht.

Weiter hinauf,
in den Turm.

Zurück bleiben
Fußabdrücke auf
kalten Treppen.

Trauer.
Keine Reue.

Nehmt mein Reich!

Ich springe
in die Ewigkeit.

Chouxchoux

Ich seh sie noch
vor mir tanzen.
Ihren Arsch, rhythmisch
in hautenger Jeans.

Wie sie ihren Kopf
hin und her warf,
schwarze Strähnen
in ihrem Gesicht.

Wie sie zur Musik
breitbeinig in
die Hocke ging,
auf halben Stilettos.

So tanzte sie vor mir,
zog mich an sich.
Ich spürte ihre Lippen,
ihren warmen Körper.

Ihre Zunge tanzte
in meinem Mund
und alles drehte sich
um uns herum.

Flackernde Stroboblitze,
Augen verstörter Typen,
die längst wussten, dass
sie keine Chance hatten.

Cherry Bomb in Ekstase,
Russ Meyer Filme
in Endlosschleife
auf den Bildschirmen.

Und wir waren mittendrin,
in dieser Endlosschleife.

Und nach langer Zeit
spürte ich es wieder.
Spürte, dass es doch
einen Sinn gab.

Tanz, tanz weiter.
Nur für mich.

Gehe in Frieden

Niemand wollte
über die Vergangenheit
reden.

»Was passiert ist,
ist passiert«, hieß es.

Und dann
langes, schamloses
Schweigen.

So führte die Suche
nach der Wahrheit
in eine Sackgasse.

»Alte Dinge soll man
ruhen lassen.«, hörte
man sie sagen.

Das sangen schon die
Opfer der Vergangenheit
von den Dächern.

Neben dir

Manchmal, wenn
es dunkel wird,
spüre ich, wie sich
unser Bett teilt.

Wie sich meine Seite
ganz langsam
von der deinen
entfernt.

Ganz leise,
völlig unbemerkt,
drifte ich davon,
auf meine Reise.

Wie ein Astronaut,
der klein, unbemerkt
und ohne Kabel
über der Erde schwebt.

Eine einsame Reise,
bis zur anderen Seite
der Welt.

Aber wenn du mich
berührst, mich küsst,
holst du mich zurück.

Zu dir.

Du Côté d'Orouët

Letzte Nacht war
ich heimlich in dem
Haus am Strand.

Ich lief lachend
durch die Räume,
auf und ab.

In der Küche traf ich
Caroline, Joëlle
und Kareen.

Wir tranken Rotwein,
lachten bis tief
in die Nacht.

Schliefen ein,
auf dem warmen
Küchenboden.

Möwengeschrei
und die Brandung
unterbrachen den Schlaf.

Ich schlug müde
meine Augen auf
und sie waren fort.

Letzte Nacht war
ich heimlich in dem
Haus am Strand.

Und nun
war ich wieder
allein.

Ich hielt nur noch
eine Flasche Rotwein
in meiner Hand.

Richtiger Mix

Menschen mit
zu viel Hirn
sind dazu verdammt,
zu meditieren.

Oder Sport zu treiben
oder zu trinken
oder Drogen
zu nehmen.

Oder einen
kunterbunten
Mix davon.

Um all dies
zu ertragen.

Frag das Orakel

Hat das Individuum
überhaupt die Macht,
Dinge zu ändern?

Der Erfolg des Einzelnen.

Gibt es diesen oder
wurden alle Karten
schon vorher gelegt?

Sind wir die Bestimmung?
Oder folgen wir dieser?

Der Starke.
Der Schwache.

Machtlos.
Beide.

Remis!

Kaltes Bett

Wir wissen doch beide,
warum du später den
Autoschlüssel nahmst.

Vielleicht hätten das alle
an diesem Abend
getan.

Welch kläglicher Versuch,
betrunken mit Joy Division
einzuschlafen.

Stimmen der Enttäuschung
rauben uns doch immer
den Schlaf.

Und du?

Bist den Stimmen gefolgt.
Hast Dich angezogen
für deine Himmelsfahrt.

Manchmal sehe ich noch
dein Lächeln im Rückspiegel
des Autos.

Manchmal sehe ich noch,
wie du während der Fahrt
die Hände vom Steuer nahmst.

Und dann immer wieder
dieser merkwürdige Blick
in deinen Augen.

Das nächste Bier.
Auf dich, mein Freund.

Geheimgang

Manche Dinge
leben weiter
in uns.

Genau, wie diese
Bar am Strand.

Und dieses Foto, das
an einer Reißzwecke
am Tresen hing.

In diesem Foto tanzen
noch immer die Frauen
im Kunstnebel.

Gesichter, Augen,
Arme, Lippen,
Brüste.

Schiffbrüchige,
in einem Ozean
von Alkohol.

All das lebt weiter,
wie der Biss
der Endgültigkeit.

Diese bittere Wahrheit,
daß Zeit unser Richter
über Unendlichkeit bleibt.

Diese Bar von damals,
sie existiert noch.

Keiner weiss davon.
Niemand kennt den
geheimen Eingang.

Sie ist noch immer da.

Und ab und an
besuche ich sie.

Klungkung

Ich sitze schon lange
auf diesem Hügel.
Lasse mir den Wind
um die Ohren fegen.

Gräser und Palmen
bewegen sich,
man hört nichts,
außer den Wind.

Das Licht der Sonne
gleitet über die Hügel und
von hier oben sieht alles
klein, unwichtig aus.

Ich bleibe sitzen,
atme all das ein und dann
holt mich der Schlaf zu sich.

Im Traum gleite ich als Vogel
über diese Hügel und Täler,
Tempel, Palmen und Oasen.

Ich steige im Aufwind empor,
gleite dahin und lasse mich
wieder fallen.

Und im Hintergrund
glitzert das ewige Meer.

Ungefähr so
fühlt sich Freiheit an.

Segel streichen

Der letzte Abend
auf einer Insel ist fast,
wie der letzte Abend
mit einer Frau.

Wie die letzte Kippe
in deiner Schachtel.

Das letzte Bier
vor Zapfenstreich.

Ein letzter Kuss,
eine letzte Umarmung.

Oder das letzte Schiff,
das einsam den Hafen
verlässt.

Leuchtend grün

Den leuchtend grünen Elch
sieht man nur einmal
in seinem Leben.

Für viele Menschen
bleibt er unsichtbar.
Gestern Nacht sah ich ihn
zum ersten Mal.

Er stand in meiner Bar,
auf der leeren Tanzfläche.
Umgeben von Menschen,
unter farbigen Scheinwerfern.

Er schaute mich an,
als wollte er etwas sagen,
doch dann verschwand er,
im Nebelrauch der Maschine.

Ich lief durch die Menge,
rüttelte den Menschen an
den Armen, den Schultern.

Brüllte sie an,
wo der grüne Elch sei.
Und sie fragten sich, was
mit mir sei.

Niemand hatte ihn gesehen.

Diesen grünen Elch, der
auf seinen Song wartete.

Lovina

Roter Himmel,
Sonnenaufgang
über dem Meer.

Delfine springen
in der Welle
des Bootes.

Und neben mir
kotzt ein Chinese
ins Meer.

Offenes Ende

Was übrig blieb,
waren blutige Kratzer
auf meinem Rücken.

Tränen in ihren Augen,
und viel zu viele
Scherben in ihr.

Als sie ging und
die Tür hinter sich
offen liess.

Wie diese
Geschichte.

Nothafen

Blutvolle Ströme
von Erinnerungen
brausen durch
meinen Kopf.

Erinnerungen aus
einer Zeit, die heute
niemand mehr
so versteht.

Alleine, im Ozean
meines Hirns,
in einer Nussschale
von einem Boot.

Auf meiner Reise,
vorbei an kleinen Inseln
voller Erinnerungen.

Fern das Ufer

Es war schwülwarm
in dieser Sommernacht,
als sie zum letzten Mal
in der Tür stand.

Ihr Kleid wehte im Wind
und Tillmann sang:
»Die Ufer sind
Vernunft und Trieb!«

Zum letzten Mal.

Stumm stand sie da,
versperrte den Weg,
die Flucht in
eine andere Welt.

Allein mit ihr in dieser
sternenklaren Nacht
im Sommer '95.

Als wir uns umarmten
und ich seltsam verloren
in ihre blauen Augen sah.

Damals, in dieser
sternenklaren Nacht.

Als das Ende
einen Anfang fand.

Figurenspiel

Die Sonne,
das Licht,
wie in einer
Prophezeiung.

Fast versteckt,
im Schatten
von allem,
saß er da.

Krause Haare,
wirres Grinsen,
hohler Blick,
der Rausch.

»Alles bunt hier,
so schön
bunt hier«,
murmelte er.

Das Glockenspiel,
begann zu leben.
Figuren tauchten auf,
verschwanden.

Er hatte Recht,
denn urplötzlich
sah auch ich es
deutlich vor mir.

Alles bunt hier,
so schön
bunt hier.

Im Osten der Insel

Ohne Menschen,
fünf Uhr morgens,
am Westturm.

Eine kalte Brise,
Möwengeschrei,
Salz in der Luft.

Am Ostdeichgraben,
steifer Rückenwind,
kalte Ohren.

Ich rannte schneller,
von der Nacht
in den Tag.

Die Jeverplattform,
dann der Holzsteg,
das Echo meiner Schritte.

Immer lauter
das Meeresrauschen,
die Düne, das Meer.

Endlich am Strand,
durch den Sand,
mit Rückenwind.

Wie auf der Flucht,
mit kreischenden Möwen
über mir.

Bis zum Ende,
im Osten der Insel.

Zeit und Raum

Wiedermal
reiss ich es ab,
das letzte
Kalenderblatt.

Steh sprachlos da.
Das ging zu schnell.

Raketen schiessen
durch die Nacht.
Was kommt, das geht.
Sternenregen.

Zeit, nimmst dich
so wichtig.
Aber, was bist
du schon?

Gestern noch
durch den Schnee,
morgen baden
Menschen im See.

Fest krallt
meine Faust
das letzte
Kalenderblatt.

Fast zu viel

In meinen Träumen
besuchte ich
magische Orte.

Ich flog hinweg
über Palmen, Strände
und einsame Täler.

Eine Reise
voller Leichtigkeit
und Schönheit.

So berauschend,
prägend.

Das Rauschen
des Windes.

Ich flog dahin,
durch Frieden.

Für einen Traum
fast zu viel.

Sanduhr

Der Fluss der Zeit
verwischt unsere
Wünsche.

Unsere Worte,
von Geburt an
Vergangenheit.

Versunken
im Treibsand
des Lebens.

Freie Gedanken,
in Gefangenschaft
der Zeit.

Auf und Davon II

In dieser tiefschwarzen Nacht
lag die Straße still vor uns,
wie eine tote Schlange
im Wald.

Mächtige Tannen
säumten die Straße,
verloren sich über uns
im Himmel ohne Sterne.

Gelbe Scheinwerfer
bahnten ihren Weg
durch Serpentinen,
durch die Dunkelheit.

Wir glitten dahin
wie auf Schienen,
teilten die Nacht
und die Ewigkeit.

Verschwanden so,
auf der Flucht
vor uns selbst.

Es perlt so edel

Blaue Augen,
rote Lippen
hinter Glas.

Filigrane Gebilde,
Perlenschnüre.

Einzelne Perlen
stiegen empor,
verbanden sich.

Ein roter Mund
am Glas lies den
Horizont kippen.

Es rauschte und
ein Brunnen wurde
zum Fluss.

Perlenketten.
Schaum stieg auf.
Überall.

Ein wilder Strom
hinab in ihren
tiefen Schlund.

Träume zerplatzen
immer schneller
als Perlen.

Was übrig bleibt,
ist Lippenstift
am Glas.

Drei Kreuze

Wer braucht schon
das Individuum.

Funktional und neu.
Auch kalt darf es sein.

Nummeriert, überwacht.
Ein Konzept wird deins.
Alles für die Sicherheit.

Bück Dich!
Es ist so wunderschön
in dieser heilen Welt.

Die Menschmaschine.
So produktiv.

Nur noch folgen.
Frei von störenden
Optionen.

Weiter geht die Reise,
der lautesten Stimme
hinterher.

Alle lieben Lemminge.
So gleitet das Fließband
mit dir dahin.

Tief hinein, in die
Mensch-
Maschinen-
Presse.

Replay

Wenn Nacht und Tag
gleich sind, verliert alles
an Bedeutung.

Dann legt sich Monat für Monat,
Jahr für Jahr eine Decke
über die andere.

Verlust der Einzigartigkeit.
Die eingeschlichene Routine.
Feinde der Lebenslust.

Ventil

Oh mein Gott,
ich bin voll drauf.
Die Flasche fliegt
gegen das Auto.

Tanze Rock'n'Roll und
der Fahrer schaut blöd,
als ich auf sein
Auto springe.

Ein Zug an der Kippe,
tanzend auf der Haube,
doch dann falle ich,
wie ein Boxer im Ring.

Schlage mit dem Kopf
gegen die Frontscheibe.

Sehr viel Blut
auf meiner Stirn.

Aber trotzdem
schreit alles weiter
in mir.

Der laute Schrei
nach Freiheit.

Liberté Toujours

Als alles schlief,
tanzte ich einsam
meine Kreise durch
die Gassen von Paris.

Eine glühende Gauloise
steckte in meinem Mund.
Meine Hand hielt die letzte
1664 zu den Sternen empor.

Gelblich warm, brannte
einsam ein Licht in einer
Wohnung auf der anderen
Seite der Straße.

Im Fenster erschien
eine schlanke, schöne Frau.
Fast nackt, in schwarzen
Fishnet Strümpfen.

Von der Strasse aus
wirkte der Schatten
ihrer Beine, wie der
einer Spinne.

Sie stand breitbeinig
im Fenster.

Ihre Zigarette glimmte
teuflisch rot auf, bevor sie
den Rauch in die Nacht blies.

Rot lackierte Fingernägel,
weisse Haut, wie Porzellan.

Sie zog erneut an der Zigarette
und schnippte sie dann
aus dem Fenster.

Funken sprühten durch
die Dunkelheit, als die Kippe
vor meinen Füßen aufschlug.

Auf dem Filter,
ihr roter Lippenstift,
mit Konturen ihrer Lippen.

Gauloises Blondes,
sie erzählten schon immer
besondere Geschichten.

Vollmond

Zwei müde Augen
schauen einsam
in die Nacht.
Neben Dir.

Finden keinen Halt, wie
all jene Gedanken,
die kommen und gehen.
Neben Dir.

Schimmern in den Augen,
wie ein Bergsee,
den eine Brise berührt.
Neben Dir.

Würdest du doch sehen,
wie der Mond auf das
Laken scheint.
Neben Dir.

Augen wandern ziellos
in der Dunkelheit.
Werden trüber, schwerer
immer schwerer.

Neben Dir.

Flaschenpost

Lange Sommernacht

Tief in den Wäldern
lag dieser magische See.
Einsam und verträumt.

Dort, am Ufer des Sees
lag unsere Kleidung.
In dieser warmen
Sommernacht.

Vollmond.

Licht auf nackten Körpern,
als wir beide in das glatte
Wasser tauchten.

Schwarze Ringe
breiteten sich sanft
auf dem Wasser aus.

Kaltes Wasser.

Ihre Körperhaare
richteten sich auf.
Aber die Luft
war noch warm.

Und dann Stille.

Eng umschlungen
schliefen wir ein.

An diesem Seeufer.

Bis uns, ganz sanft,
das Licht der Sonne
küsste.

Sternzeichen Fisch

Ich zappelte
an ihrer Angel.

Mein Leben an einem
seidenen Faden.

Ich zuckte und
wand mich
vor Schmerzen.

Sie riss mir den Haken
aus dem Maul und
warf mich über Bord.

Und so fing alles
von vorne an.

Avaritia

Mit der Kamera hielt
ich Momente fest,
um diese später
Revue zu passieren.

Kopfkino.

Eine fragliche Begierde,
Momente festzuhalten.
All die Menschen hinter
der Kamera, mit ihren
Teilwahrheiten.

Die sieben Todsünden.

Getrieben davon, daß
wir die Tage hassten,
an denen Gedanken
für immer verblassten.

Wie das schmelzende Eis
in meinem Glas.

Reise Reise

Schneller,
weiter,
immer weiter.

Und höher,
immer höher
wollten wir hinaus.

Der höchste Berg,
der tiefste Punkt des Meeres
sollte es sein.

Auf den höchsten Turm,
in das schönste Bauwerk.
Es lockten all die weit
entfernten Plätze dieser Erde.

So führte unsere Reise,
oft viel zu schnell,
über Land und Meer.

Keine Zeit mehr
für das Wesentliche.
Unsere sinnfreie Suche
nach einer Aussicht und
dem schönsten Platz
auf dieser Welt.

Wo garantiert
noch niemand
vor uns war.

So entdeckten wir neue,
funkelnde Dinge
und ließen Alte
hinter uns.

Auf unserer Reise
durch Raum und Zeit.

Wir wollten
hoch hinaus,
schossen aber
voll vorbei.

Entre Deux Mers

Vier Uhr morgens.
Von Stimmen geweckt.
Das Licht ging an.
Verdammt, der Traum
war doch so gut.

Stattdessen war da
ein weit aufgerissener Mund
vor meinem Gesicht.

Spitze, gelbe Zähne.

Der Typ stank.
Und er trug
eine Uniform.

Ein französischer Polizist
stand neben meiner Couch.
»Passport, Passport! Merde!«
schrie er mich an.

Ich war unendlich müde,
blieb daher einfach liegen,
sagte nichts.

Schon nach kurzer Zeit
knallte er die Tür zu.
Zurück blieb Marcel.

Wortlos, knipste ich

das Licht aus.

Am nächsten Tag erzählte er,
daß er sich am Hafen mit
Cognac betrunken hätte.

Dann hatte er ein Mofa geklaut
und es folgte eine aussichtslose
Verfolgungsjagd.

Trotz starker Schlangenlinien,
lief es gut für ihn, aber dann
verlor er die Kontrolle und
rasste durch drei Cafés.

Es flogen Bistrostühle
durch die Luft.
Lautes Geschrei.

Marcel lachte.

Es gibt Menschen mit
Problemen und es gibt
Menschen, die immer
Probleme machen.

Letzteres traf
auf Marcel zu.

Verdammt!
Dieser Traum gestern,
der war so gut.

Alter Ego

Die Buchstabensuppe
im Kopf durchwühlt und
das selektive Gedächtnis
wurde entdeckt.

Es veränderte manch alte
Entscheidungen, schaffte
Prioritäten, zum Schutz
vor uns selbst.

Negative Dinge einfach
umgepolt.

Und im Lauf der Zeit stand
der Mensch im Käfig
seiner verzerrten Gedanken.

Zurück blieb die Identität.

Nichts anderes, als
eine saubere Sammlung
von Erinnerungen.

Einsam

Die Sonne ging unter.

In der Ferne blitzten
zum letzten Mal die
Flanken der Berge.

Ein schwarzer Vogel
flog vorbei.

Einsam am Himmel.

Und es folgte
die Dunkelheit.

Tuak

Von der Palme
kamen schon immer
schöne Dinge.

Frischer Palmwein,
floss in den Köcher
aus Bambus.

Die Palmen waren stets
unsere Zeugen.

Weiter, weiter.

Noch ein paar Runden.
Umso redseliger
wurde er.

Und ich,
ich konnte friedlich
seinen Geschichten
lauschen.

Zeitlos

Die Zeit strich dahin,
aber was war schon Zeit.

Könnte doch nur alles
so unglaublich schön sein,
wie dieser Sonnenaufgang.
Diese kräftige, rote Sonne,
die es schaffte, einfach alles
um sich herum zu verwandeln.

Dieses prophezeiende Licht.
Schönheit durch Farben
und Schattierungen.

Dieser Tanz voller Hingabe.
»Halt an, für diesen
einen Moment!«

Ich hielt immer an und so
hielt ich auch die Zeit an.

So konnte ich fühlen,
was Zeit wirklich war.

Tretmühle

Es gab Tage, da
verspürte ich Lust
an so vielen Dingen.

Und dann gab es Tage,
die still und heimlich
an mir vorüberzogen.

Wir nahmen uns
immer wieder vor,
der Sinnlosigkeit
zu entfliehen.

Tag ein, Tag aus.
Zum Wecker,
standen wir wieder auf.
Tag ein, Tag aus.

Folgten dem gleichen,
hohlen Weg.

Wir, die Sklaven
unser selbst.

Nimm mich mit

Der Wind wehte,
trug Gedanken davon.
Drang durch den Mund,
pflanzte neue Worte,
neue Ideen.

Der Wind wehte in mir,
wirbelte mich herum,
drang in meine Finger,
brachte Ideen zu Papier.

Der Wind wehte in mir,
er wirbelte mich herum,
bis ich emporstieg, mit
all meinen Papieren und
den geschriebenen Zeilen.

Der Wind wehte wieder.
Worte wurden zu Flammen.
Brannten in mir.

Verbrannten.
Lichterloh.

Liebe und Wut

Ring frei für unseren
Schlagabtausch.

Kritik flog
durch den Raum,
wie ausgeschlagene Zähne
eines Boxers.

Zu schnell wurden
gemeinsame Dinge
begraben.

Zu einfach trug man
die Maske des Hasses.

Es ging nicht mehr vor,
nur noch zurück.

Was einst richtig war,
stimmte nicht mehr.
Diese verfluchte Zeit,
sie änderte doch so viel.

Und Wunden blieben.

Vielleicht war es ein
fehlendes Bauchgefühl.
Vielleicht unterschiedliche
Wünsche.

Nicht ausgesprochene
Dinge.
Tag ein, Tag aus.
Der Trott killte alles.

»Du gehörst nicht mir und
ich gehöre nicht Dir« sagte sie,
als nichts mehr ging.

Niemand gehört also
irgendjemanden.

Herzlich willkommen
zur Auflösung jeglicher
Verbundenheit.

Djuröbron

Als das Archipel noch schlief,
stand ich schon auf dieser
einsamen Brücke.

So früh am Morgen.

Ich lehnte über das Geländer,
schaute auf die Schärenlandschaft
und das Wasser unter mir,
das aussah,
wie ein schwarzer Spiegel.

Der Wind war sehr kalt,
die Luft war klar und rein.

So ließ ich einen Stein fallen,
sah all die Ringe, die
im Wasser vergingen.

So früh am Morgen.

Monarchie und Alltag

Der Tag kam und
er schleppte sich
aus dem kalten Haus.

Erst spät, in
der Dunkelheit,
kam er zurück.

Seine Hände fingen an
zu zittern und allmählich
verblassten seine Bilder.

Im Dunkeln sah ihn
niemand schreien.

Es gab lange schon
nichts mehr zu gewinnen
und auch nichts mehr
zu verlieren.

Doch er kam
und ging wieder.
Er kam und
ging wieder.

Das war sein Leben.

Schöne heile Welt

Neulich im Supermarkt
sah ich ihn wieder.
Diesen alten, am Krückstock
gehenden Mann.

Bei jedem seiner Schritte
wackelte und zuckte sein
ganzer Körper.

Als würde er jeden Moment
unter einer Last
zusammenbrechen.

Er schleppte sich zur Kasse.
Dort warteten ungeduldig
Menschen in Reih und Glied.

Sprechen war ihm eine Last,
trotzdem fragte er die Verkäuferin,
ob er nicht vor dürfe.

Angewidert antwortete sie:
»Stell dich an, wie die anderen!«

Schweigend ließ er seinen
Einkaufswagen stehen,
schleppte sich mit dem Kopf
zum Boden geneigt, an
den Menschen vorbei.

Niemand sagte etwas.

Waren da Tränen
in seinen Augen?

In was für einer Welt
leben wir.

Sturm und Drang

Zu oft kam es mir vor,
als ob ich in einem Boot
gegen den Strom ruderte.

Ich kam weder vorwärts,
noch trieb ich zurück.
Nur die Zeit verging.

All die Versuche,
dem Alltäglichen
zu entfliehen,
scheiterten.

Wie von Geisterhand
zurückgehalten,
trat ich immer wieder
auf der Stelle.

Und so ruderte ich,
gegen den Strom,
wie es vor mir schon
Fitzgerald tat.

Die wahren Verlierer

Versteckt hinter
ihren Tischen.

Groß, fett
und mächtig.
Und so klug.

Festgefahren.
Gefangen in
Lebenslügen.

Kein Platz mehr,
für einen Knall
in ihrem Leben.

Kein Platz mehr,
für die letzte
große Wende.

Es war zu spät.

Deshalb konnten sie
nur noch lachen, über
all die armen Kreaturen.

Wurden taub für
alles Fremde.

Sie, die großen Verlierer,
die sehenden Blinden.

Tief, ganz tief in ihnen,
lag die Wahrheit begraben.

Unerreichbar für
schlechte Verlierer.

Vogelkäfig

Alles war weiß,
kalt und steril,
in dem komplett
leeren Raum.

Zusammengekauert,
nackt, lag sie
auf dem Boden.

Bis sich plötzlich,
am Ende des Raumes,
eine Tür öffnete.

Sie gab den Blick frei
auf ein schier endloses
azurblaues Meer.

Sonnenreflexionen.
Warmer Wind strömte
in den Raum.

Sie raffte sich auf
und rannte los,
zur offenen Tür.

Voller Energie sprang sie
an der Schwelle
durch die Öffnung.

Spürte sofort die Wärme
auf ihrer Haut,
roch die Seeluft.

Und so entkam sie
dieser Kälte, diesem
Raum.

Und im freien Fall
auf das Meer unter ihr,
verwandelte sie sich
in einen Vogel.

Tauchte, wie ein Pfeil,
in das Wasser
und schoss blitzschnell
wieder empor.

Dann glitt sie schwerelos
dahin, über das funkelnde
Wasser.

Durch dieses Feuerwerk
von Reflexionen.

30x40

Hinter dem Fenster
war es kalt, sehr kalt.

Nur zwei Zentimeter Glas,
trennten uns von -50 Grad.
Es ging durch surreale
Wolkenlandschaften.

Mit satten 800 km/h
ging es vorbei an Wolken,
die sich teilten oder auflösten.
Kein Vogel, kein Mensch.
Nur diese weißen Wolken
und blauer Himmel.

Dieser endlose Horizont.
Alles zum Berühren nah.
Nur zwei Zentimeter
trennten uns.

So nah, so fern.

Unerreichbar.

Spelunke

In seiner Wohnung
saß er am Fenster
auf einem Stuhl.

Hier glühte er oft vor,
bis es ihn hinaus
auf die Straßen zog.

So war es auch
an diesem Abend,
bevor er vor die Tür trat.

Hinein, in eine schöne
Vollmondnacht.

Es dauerte nicht lange
und er war an seinem Ziel
angekommen.

Er fingerte eine Zigarette aus
der Schachtel, zündete sie an,
ging dann die dunkle Treppe
zur Bar hinunter.

Im verrauchten Licht
sah er sie wieder.

Die Clowns, Langweiler,
Trinker und Anti-Alkoholiker.
Die Reichen und die Armen
All die verfluchten Blender.
Und diese Hipster!

Vielleicht würde er eines Tages
aufstehen, sich einen von ihnen
packen und fertig machen.

Niemand würde das verstehen.

Aber der Tag war noch nicht da
und so erinnerte er sich an
seinen Freund, der einmal sagte:
»Und es ist, als ob man
immer wieder mit einem Löffel
in der gleichen Scheiße rührt.«

Herz aus Stein

Liebe zu schenken,
diese zu empfangen.

Das Ziel unser Suche.

Nach der Essenz.

Alles endet dann,
wenn das Leid
völlig unbemerkt
vorüberzieht.

Hass

Morgen würde ich
Bäume ausreißen,
laut schreien,
niemanden mehr grüßen,
den Finger zeigen und
meine Faust empor strecken.

Nun war ich dort,
wo ihr mich wolltet.

Ich verbrannte die Seite
mit diesem Text, doch
oh Geisterhand, am nächsten Tag,
stand der gleiche Text
auf einem neuen Blatt Papier.

Nichts sollte sich ändern.
Nichts konnte sich ändern.

Morgen würde ich
Bäume ausreißen,
laut schreien,
niemanden mehr grüßen,
den Finger zeigen und
meine Faust empor strecken.

Und würde mich und
die anderen Menschen
dafür hassen.

Vogelfrei

In dieser Bucht
konnte man vor der Flut
meist noch Korallen durch
das klare Wasser sehen.

Oft flog ein weisser Vogel
einsam auf das Meer hinaus.
Außer dem ewigen Rauschen
der Wellen, war nichts zu hören.

Hier konnte ich lange sitzen
und über das Wasser schauen.
Manchmal wurde es dabei
dunkel um mich herum.

Ich liebte die Unendlichkeit
des Meeres.
Und hasste die Gewissheit,
nicht frei zu sein.

So frei wie dieser Vogel, der
es mit Leichtigkeit vermochte,
über den Ozean zu fliegen.

In diese blutrote Sonne hinein,
bis er, ganz allmählich,
als kleiner schwarzer Punkt
verschwand.

Verschoben

Wo bleibt die Liebe?
Die Sehnsucht.
Und der Kuss?

Verschoben
auf morgen.

Die Umarmung.
Die Wärme.
Die Nähe.

Alles verschoben
auf Morgen.

Morgen wird alles
anders sein.

Lass doch einfach los
und halt mich fest!

Morgen ist es vielleicht
schon zu spät.

Synchron

Sie fesselten ihn,
flößten ihrem Freund
Alkohol ein.

Als es dunkel wurde,
ließen sie ihn frei.

Er stand auf.

Lachend,
betrunken,
friedlich.

Dann tanzte er,
vor dem Lagerfeuer, mit
schwingenden Armen.

Im Takt der Musik.
Mit der Welt.

Mit uns.

Endlosschleife

Drei Minuten zum Meer.
Frühstück am Wasser.
Jeden Morgen.

Grenzenlos dankbar dafür.

Den Blick auf die Brandung,
tiefschwarzer Kaffee.
Barfuß über den Sand,
an Palmen vorbei.

Und über mir war stets
der blaue Himmel mit
weißen Wolken.

Vor Leichtigkeit schwebend.

Denn die Sonne, die nahm ich
immer mit in mir
und wenn es dunkel wurde,
leuchtete sie für mich weiter.

Solange es ging.

Alles im Lot

So standst du vor mir,
mit einem Lächeln
im Gesicht.

Man sah es dir an,
dein neues Glück.

Endlich konntest du
die schlechten Seiten
des Lebens vergessen.

Fühltest dich wieder gut.

So gut, daß du es mit
allen aufnehmen wolltest.

Alles war wieder im Lot.

Das einzige was blieb,
war diese hämmernde Frage
in deinem Kopf:
»Wie lange noch?«

Weißer Rauch

Irgendwo in Südfrankreich,
auf einem einsamen Parkplatz,
wackelte ein schwarzer Citroën DS
von einer Seite zur anderen.

In dieser sternlosen Nacht
sah man die Innenbeleuchtung
und im weißen Rauch Köpfe,
die sich zum hämmernden Bass
hin und her bewegten.

Wie aus dem Nichts
stand plötzlich ein Flic im
Scheinwerferlicht des Autos.

Es hielten alle inne, nur
die Musik pumpte weiter.
Mit Handzeichen signalisierte er,
die Fenster zu öffnen.
Er wirkte genervt, aber auch
verloren.

Die Musik wurde gestoppt,
die Fenster wurden geöffnet
und sofort verteilte sich
der Rauch
um das Auto herum.

Dann streckte er seinen Kopf
durch das Beifahrerfenster.
»Das geht hier nicht so,
die Musik muß aus!« brüllte er.
Niemand antwortete ihm.

Verärgert murmelte er etwas
und verschwand wieder
in der Dunkelheit.

Fenster wurden hochgekurbelt
und die Musik pumpte weiter.

Ich schloß meine Augen und hörte
die Blondine neben mir sagen:
»Noch ein Zug mehr und
wir fliegen davon«.

Alte Bilder und Realität

Diese Tage, an denen
dich deine alten Bilder
wieder einholten.

Wenn die Erinnerungen
nach dir griffen, weit
ausholten, um dann mit ihren
Krallen Fetzen aus deiner
Seele zu reissen.

Diese alten Bilder,
die immer wieder versuchten,
dich in die Knie zu zwingen,
hinterließen mit der Zeit
tiefe Wunden.

Unser Super-8 Film
voll mit Erinnerungen,
der immer weiter lief.

Dein A oder B-Movie,
der solange läuft, bis
die Filmspule leer und
einsam ihre Kreise zieht.

Bogey ist nicht tot

Er saß auf einem Hocker,
in einer dunklen Ecke
der Bar.

Trug seinen braunen
Trenchcoat und einen Hut.

Ein Teil seines Gesichtes
war stets verborgen.

Er sprach selten und
niemand sah ihn jemals
ohne eine Zigarette
im Mundwinkel.

Stets auf den Tresen
gestützt, mit leeren Blick
auf sein Glas Whiskey.

Er dachte, trank und rauchte
viel zu viel, wollte eigentlich
nichts davon.

Konnte sich nicht mehr erinnern,
wie es dazu kam.

Bogey hatte mal gesagt,
daß es nichts Schlimmeres gibt,
als einen eifersüchtigen Mann.
Außer eine 45er Magnum.

Menschen von damals hatten
einen guten Durchblick.

Bogey ist nicht tot.

Zaubermeisterin

Am Lagerfeuer, vor
diesem Meer aus Flammen,
bildeten die Zypressen
lange Schatten.

Im Gras, unter schwarzem
Himmel, während der Wein
seine Geschichten erzählte.

Von der Liebe, von Hass
und der Hoffnung.

Sie nahm mich mit
auf ihre Reise.

Verzauberte alles,
lies mich tanzen,
lauthals schreien.

Nur der Mond war
unser Zeuge.

Regenzeit

Es regnete schon seit
Stunden in Strömen.
Ich lief barfuß hinunter
zum Fluss.

Das Wasser war überall, es
umfloss meine nackten Füße
und folgte mir auf Schritt und Tritt.

Der Regen prasselte,
perlte von meinen Haaren,
Armen und meinem Gesicht.

Viele Tage vergingen so.

Vor dem Regen kamen graue
Wolken, später zeigte sich
der blaue Himmel und dann
brannte die Sonne erneut
unbarmherzig auf die Erde
herunter.

Der reißende Fluss wurde
zum sanften Bach, plätscherte
vor sich hin.

Die Vögel sangen dann wieder,
wie Soldaten nach einem Sieg.

Es verging nicht viel Zeit,
bis der Regen wieder kam.

Und so wiederholte sich alles
in diesem Leben.

Die Kälte

Sie folgte wie ein Schatten,
am Tag und in der Nacht.

Sie war schön und
häßlich zugleich.

Sie nahm Deine Wärme und
gab Dir ihre Kälte.

Sie war nicht zu bändigen.

Dennoch wartete ich auf sie.
Und es war kalt.

Geister die ich rief

Ein Jahr war vergangen,
in Shorts, Flip Flops und
dünnem T-Shirt.

Ein Jahr, mit breitem Grinsen,
bei Sonnenaufgang, auf
dem Weg zum Strand.

Jeden Morgen ein Stop
am Strand und der Blick
auf das Meer.

Vulkane in der Ferne.

Ein Jahr war vergangen.
Ohne warmes Wasser.
Ohne Toiletten mit Papier.

Blütenmeere des Bougainville.

Geräusche der Geckos.
Kokosnüsse von Palmen
gespaltet und getrunken.

Barrakudas, bunte Tropenfische.
Hühnerfleisch von der Strasse.
Innereien wurden gegessen.
Roti Canai auf Palmenblättern,
Tee Tarik, Kaffee aus Toraja.

Eine Brennerei im Dschungel.
Arak und Tuak.

Gespräche mit Fischern.
Schwarze und weiße Magie.
Mit Freunden getrunken,
getanzt und gelacht.

Freunde verloren.

Mit Räucherstäbchen,
Kretek und Tuak
wurde einiges benebelt.

Sternenhimmel an Nyepi.

In einem Gazebo auf dem
Hausdach eines Freundes.
Unglaublich schön.

Sollten es die Götter
gut mit uns meinen,
dann bleiben wir.

Passé

Ein Foto in meiner Hand.
Sieh doch, dieses Lächeln!

Lichter brennen und
vergehen wieder.
Auf die Dunkelheit folgt
der Tag.

Alles kommt und geht.

Das Hier und Jetzt, über
das wir nachdenken.

Verdammt, dieses Lächeln!
Verschwunden ist es schnell.

Und dann bleibt nur
die Vergangenheit.

Das Brennen in Dir

Bei Sonnenaufgang
wichen die Schatten.

Starben deine Träume.

Einst konntest du fliegen.
Nun blieb nur die Last
auf deinen Beinen.

Zurück wolltest du,
zu all diesen funkelnden
Sternen.

Denn du wußtest es genau.

Immer, wenn die Sonne wich,
brannten wieder neue
Träume in dir.

Saddam

Der Friseursalon war leuchtgrün
und über den Wartestühlen,
an der Wand, sah man dunkle
Abdrücke der Köpfe
seiner Kunden.

Zwei Scotch Flaschen zierten
den Frisiertisch und verteilt
lagen Farbpinsel, Maschinenöl
und Stücke aus der Füllung einer
Couch.

In diesem Chaos liefen die Ameisen
kreuz und quer über den Tisch,
über alte Klingen, die Tageszeitung
und ein bißchen Wechselgeld.

Die Haare schnitt er mit feinen
italienischen Scheren.
Wirklich gesprächig war er nie,
aber seine Kunden wußten Ruhe
noch zu schätzen.

Seine Begrüßung war immer
mit einem Lächeln und das
war ehrlich, wie seine Arbeit.

Nichts war hier gekünstelt,
kein doppelter Boden,
alles war echt.

Die letzte Insel
in einer kaputten,
durchgestylten Welt.

Gestern war ich wieder dort.

Das Haus war abgerissen.
Und in dieser Ruine, vom
Bauschutt fast verborgen,
lag ein Schild:
»Geschlossen«.

Was Gutes ging von uns
und glaub mir, es wird
nichts besseres kommen.

Das ganze Theater

Unser Leben ist ein Theater
und wir sind die Schauspieler.

Eine Aufführung dauert
im Schnitt seine 70 Jahre.

Dann fällt der Vorhang.

Ob du deinen Spaß hattest,
wird dann, wenn überhaupt,
nur wenige interessieren.

Jedes Theaterstück hat
seine Pausen.

Nutze diese Pausen,
sonst hast du dein Leben
schnell verspielt.

Flaschenboden

Tief in der Flasche,
da steckte schon immer
die Wahrheit.

Es half aber nie,
danach zu suchen.
Die Wahrheit kam stets
zu mir.

So herrlich ungefragt.
Und häßlich.

Sie tauchte auf, wann
immer sie es mochte.
Und ich schluckte sie.
Mit einem Hieb.

Fühlte mich gut dabei.
Unbesiegbar.
Und so frei.

Für diese eine Nacht.

Anna

Sie liebte ihr Kind und
die Unabhängigkeit.
Anna, die oft stundenlang
Schopenhauer zitieren
konnte.

Manchmal lösten sich ihre
Worte auf und so kam es mir vor,
als ob ich sie aus weiter
Ferne hören würde.
Dann sah ich nur noch ihre
roten Lippen, die sich öffneten
und wieder schlossen.

Anna, mit der sanften Stimme,
ihrem stets tiefroten Wein in
viel zu grossen Gläsern.

Anna und ihre Worte,
die mich davontrugen,
in eine andere Welt.

Danke Anna, für diese
schöne Zeit.

Am Anfang

Im Rückspiegel lief der Film
unser Vergangenheit.

All die bunten Bilder.
Welch verschwommenes
Gesichter-Karussell.

Mit Sinn, oftmals ohne.
Es ging doch sowieso
immer viel zu schnell.

Der Fahrtwind.

Das wechselnde Licht.
Drehende Reifen und Blätter,
die umher flogen.

So rasten wir durch den Tag
und durch die Nacht, mit
Vollgas am Glück vorbei.

Stets das Ziel vor Augen,
welches immer wieder
zum Anfang wurde.

Phantominsel

Superheld

Du Himmel in der Nacht
warst mit mir, solange
bis der Tag anbrach.
In goldenem Licht, mit
neuer Hoffnung, denn
du bringst uns das,
was wir suchen.

Die Liebe, die Hand in Hand
mit ihrem besten Freund
der Freude Spazieren geht.
Sie kennt die Dunkelheit
und kennt den Tag.
Kämpft mit Schwertern
und Armeen.

Die Liebe.
Unsterblich ist sie.

Unsterblich.

Unser letzter,
allerletzter Superheld.

Zypresse

Ein Leben lang hatte sie
der Menschheit getrotzt.
Ihr Kampf wollte nie enden.

Sie hatte Sonnenaufgänge
von unvorstellbarer Schönheit
erlebt.

Der Himmel über ihr wurde
millionenfach verdunkelt.
Gewitter warfen stets tödliche
Speere nach ihr.

Allein, von der Dämmerung bis
zum Morgengrauen, wenn
Erinnerungen ihr Herz kniffen.

Tränen wurden verloren, fielen
auf trockenen Boden.

Sie selbst wurde nur vom Regen
geküsst und Zeit war für sie wie
kleine Wolken, die im Wind
vorüberzogen.

All die Jahre.
Aber sie war immer noch hier.
Majestätisch, einsam.

Und sie heulte,
wie ein Wolf
in die Nacht.

Angst

Auf gute Freunde
und sonst nichts.
Eine glückliche Zeit
ohne Schmerz und
Enttäuschung.

Aber eines Tages
wollte sie mehr.
Sie bekam mehr.
Und die Angst
wuchs in ihr.

Das Ende kam und
ihr wurde bewußt,
daß uns Liebe
immer voneinander
trennen wird.

Hasselkobben

Das Wasser gurgelte und zischte,
als das Schiff immer weiter
durch den Schärengarten glitt.

Es ging von Insel zu Insel und jede
wollte schöner sein, als die andere.
Schließlich erreichte das Schiff eine
kleine Insel mit glatten Felsen.
Ich ließ das Boot stoppen und
ging dann von Bord.

Ein ansteigender Weg brachte mich,
durch einen Mischwald, hinauf zu einer
Anhöhe, von der ich die ganze Insel
mit dem Archipelago sehen konnte.

Ich sah ein weißes Holzhaus an
einem tiefschwarzen See.
Hinter dem Haus war eine Bucht,
mit einem Seeweg zum offenen Meer.
Der Weg führte mich weiter, von
der Anhöhe hinter das Haus.

Als ich die Bucht sah, rannte ich
durch das hohe Gras, hinaus auf
den Holzsteg, der wie ein Schwert in
die Bucht ragte.

Meine Schritte hallten durch die Bucht.
Brachen diese perfekte Stille.
Am Ende des Stegs sprang ich ab und
stieg hoch empor.
Noch bevor ich ins Wasser tauchte,
kam es mir vor, als ob die Zeit anhielt.

Es fühlte sich an, als ob mein Fall
gestoppt wurde, als ob ich in
der Luft gehalten wurde.

Mein Gesicht spiegelte sich
im Wasser, eine Hälfte lachte,
während die andere weinte.
Was war, wird nie mehr so sein.
Und das störte mich genau
in diesem Moment.

So schauten wir uns an.
Wie zwei Rivalen im Ring.

Bereit für den Kampf.

Die letzte Fahrt

Ich war wieder zurück,
in dem Karussell der
Vergangenheit.

Mit all den lieben und
den bösen Gesichtern.

Und all ihren Geschichten.

So fahre ich mit,
in diesem Stummfilm.

Immer wieder im Kreis.

Durch diesen Strom
von Bildern durch Raum
und Zeit.

Und es dreht sich,
bis die Fahrt
zu Ende ist.

Ein Traum

Auf azurblauen Wasser
stand ein Mann, in einem
weißen Boot, ganz still und
stumm, ganz in weiß gekleidet,
mit bleichem Gesicht.

Der Himmel um ihn herum
war milchig, leuchtend und matt.
Als er in meine Richtung blickte,
begann sich plötzlich das Boot
mit ihm in meine Richtung
zu bewegen.

Unverändert stand der Mann da,
kam aber immer näher zu mir und
als er fast direkt vor mir war,
schrie er mich an:
»Was glotzt Du so? Hast Du
nichts besseres zu tun?«

Und dann spürte ich, wie das
Boot mit dem Mann durch mich
hindurchfuhr.

Ich stand da wie paralysiert und
sah nun den Mann von hinten.
In seinem grotesk weißen Anzug
leuchtete er förmlich.

Er stand noch immer regungslos da.
Drehte sich nicht nach mir um.
Sein Boot glitt weiter davon.
Immer schneller und schneller.

Und ganz plötzlich, war da
dieses Rauschen und ich begriff,
daß der Mann auf die Kante eines
Wasserfalls zufuhr.

Ich sah, wie in ein paar Metern
der Wasserspiegel endete.
Unbeeindruckt dessen, stand er
weiterhin in dem Boot, fast wie
eine weiße Kerze.

Alles wirkte so unnatürlich, weiß
auf diesem azurblauem Wasser,
als sein Boot im Begriff war, über
die Kante zu fahren.

Der Mann stand teilnahmslos da
wie ein Teil des Bootes,
ein Teil des Ganzen.

Schließlich kippte das Boot vornüber
und dann war der Mann
nicht mehr zu sehen.

Weg.
Einfach weg.

Und ich hörte nur noch
dieses Rauschen.

Blickte träumerisch
in dieses wunderschöne,
azurblaue Wasser.

Der Mann ohne Beine

Er war so Ende 50.
Im Krieg hatte er
seine Beine verloren.

Eines Tages kam ein
Freund zu Besuch und
er erzählte ihm von einem
Soldaten, der sein Augenlicht
verloren hatte.

Er würde gut über die Runden
kommen, meinte er.
»Er ist glücklich«, betonte er.

»Eine schöne Geschichte«, sagte
der Mann ohne Beine.

»Und wenn sie zu Ende ist,
möchte ich aufstehen und
auf meinen Beinen den
Raum verlassen.«

Zeitdilatation

Aller Zeit war kurz.
Spartest du deine Zeit?
Wenn ja, wofür?

Zeit verstreicht
langsamer in
bewegten System.

Daher litten wir mehr,
blickten auch
nicht mehr zurück.

Kurz war die Zeit,
war unsere Zeit.

Und so wurde es Zeit
für neue, schöne Dinge.

Alles passiert

Es brauchte schon immer
nur eine Sekunde, in der
alles mögliche passierte.

Ein Feuer entzündet.
Ein Versprechen gebrochen.
Ein Kind geboren.
Ein Mann erschossen.
Ein Gebet gesungen.
Ein Glas gefüllt.
Ein Mensch gerettet.
Ein Foto zerrissen.
Ein Brief geschrieben.
Ein Gedanke verworfen.

In jeder Sekunde
passierte soviel mehr
als uns lieb war.

Und wir schalteten
das Licht aus.

Die Farbe Grau

Ich war schwerelos, in einem
dunklen Chaos, konnte mich
in dieser Welt frei bewegen.

Um mich herum war alles
grau in grau.

Nur manchmal sah ich
Spritzer weißer Farbe, um die
ich herum schweben konnte.

Alles wirkte traurig,
fremd und bedrohlich.
Warum war ich hier?

Als ich die Augen aufschlug,
fühlte ich mich fremd.
Und wußte nur noch eins.

Ich wollte nie mehr
zurück.

Lichterloh

Ich lief, so schnell es ging,
durch die Dunkelheit.
Ohne Ziel und Sinn.

Mein Herz war unruhig
über mein Tun und die
Dunkelheit verschlang
alles, auch mich.

Es schmerzte der Kopf und
ich spürte meine Beine
schon lange nicht mehr.

Ich war erschöpft, aber ich
lief weiter und weiter, während
mein Herz in mir brannte und
alles wie eine Feuerwalze
mit sich riss.

Meine Hoffnung,
meine Träume
lichterloh brannten.

Goldrahmen

Dieses Bild hing mit
Goldrahmen in einem Käfig.
Besucher kamen und gingen.

Manche blieben stehen,
verschränkten die Arme.
Faßten sich ans Kinn.
Waren dann begeistert,
erschrocken oder wurden
Teil des Bildes.

Genauso unerwartet
tauchten ihre Fragen auf.
Wie Flugzeuge aus Wolken.

Aufgeschobene Pläne zerplatzten
noch einmal, wie Seifenblasen.
Alte Gefühle sprangen, wie
Hasen aus dem Zylinder.

Da war er wieder, der
trockene Hals, dieser
Schweiss auf der Stirn.

So erschrocken warst du,
als du spürtest, daß du
ein Teil davon bist.

Leblos standst du da, mit
all den anderen, in diesem
Käfig und dem Bild
mit goldenen Rahmen.

Während die Eintagsfliege
teilnahmslos vorbeiflog.

Tauchgang

Ich tauchte hinab
zum Meeresboden.

Fische schwammen vorbei.
Sonnenstrahlen durchbohrten
das Wasser, wie funkelnde
Messerspitzen.

Luftblasen stiegen auf.
Zerplatzten wie Träume.

Es war schön hier.
Aber einsam.

Etude

In diesen Tagen
rauschten Gedanken vorbei,
wie Blicke aus einem Zug.

In diesen Tagen, auf
der Bank vor dem Haus,
mit einem Tornado von
Bildern in meinem Kopf.

In diesen Tagen,
mit Scherben aus der
Vergangenheit.

In diesen Tagen, auf
der Bank vor dem Haus,
als Musik entzauberte und
das Leben vor mir lag,
wie ein ungelöstes Puzzle.

In diesen Tagen,
als die Tränen liefen,
wie Blut aus einer
vergessenen Wunde.

Queen

Letzte Nacht
spielte ich zusammen
mit Farrokh Bulsara.

Ein Gitarrensolo
voller Hoffnung.

So reiste ich zurück
in unserer Zeit.
Wollte so gerne bleiben,
weiter ins Mikro schreien.

Alles nochmal fühlen,
wie es damals war.

Die Gerüche
in mich aufsaugen.

Es war nicht alles besser,
aber es war anders.

Was für eine Nacht.

Geistesblitz

Und meine Hände blieben still
auf dem weißen Blatt Papier.
Ich wartete auf Gefühle.
Auf ein Zeichen.

Vielleicht sollte ich doch
etwas anderes machen.
Unsere Zeit ist limitiert und
Freunde warten nicht ewig.
Sich mal wieder blicken lassen.

Welche Freunde waren das?
»Ach vergiss es doch«, dachte ich.
Und meine Hände blieben still
auf dem weißen Blatt Papier.

Wie wäre es mit Gefühlen?
Ja, ich brauchte starke Gefühle,
eine Zigarette, schwarzen Kaffee!
Diese endlose Suche nach Ideen.
Brauchte ich denn Ideen?
Brauchten sie mich?

Freunde für die Ewigkeit.
Sich mal wieder blicken lassen.

Welche Freunde waren das?
»Vergiss es doch«, dachte ich.
Und meine Hände blieben still
auf dem weißen Blatt Papier.

Zehn Freunde

Die Musik war laut und gut.
Noch Stunden später
waren sie voller Energie.
Lachend, grölend und
ohne jedes Ziel.
Die zehn.
Zehn Freunde.

Vor dem Haus flogen Flaschen
an die Häuserwände.
Ungebremst, voller Energie,
so liefen sie durch die Straßen.
Stoppten Autos.
Mit den Armen in der Luft
schrien sie laut: »Schaut her,
hier sind wir!«.

Die zehn.
Zehn Freunde.

Wie streunende Hunde
in dunklen Gassen, mit
unsichtbaren Trompeten
in geballter Hand.

Vor Anker

Die Segelboote lagen vor Anker,
wie einsame weiße Skelette,
an das Wasser gekettet.

Und so warteten wir, mit
Hoffnung auf den Sommer,
auf neue Abenteuer, neue
Gesichter, schöne Geschichten.

Wir warteten gemeinsam,
mit all unseren Träumen,
die genauso aufgehen sollten.
Den Träumen, die im Kopf
dieses Chaos anrichteten.

Oft ertappten wir uns dabei,
wie wir in Gedanken unsere
Segel hissten, um dann
hart am Wind zu fahren.

In eine bessere Welt.

Sommer 1990

Ich ging barfuß am Waldsee
meiner Jugend.

Sonnenstrahlen brachen
durch die Zweige und ich roch
ihn wieder, den Duft der
Fichten und des Waldbodens.

Dieses vertraute Gefühl,
barfuß durch das Gras zu laufen.
Den kalten Morgentau an
den Füßen zu spüren.

Ich sah die Gespenster der
Vergangenheit.

Sah sie in diesem Moment
wieder alle vor mir, die hier
spielten, lachten und weinten.
Menschen aus meiner
Vergangenheit.

Meine erste Liebe saß hier.
Genau hier neben mir.

Ich sah wieder ihr Lachen,
und wie sie ihren Kopf in
den Nacken warf.
Sich durch die blonden
Haare streifte.

Wie ich ihren Kopf in
meinen Händen hielt.
Spürte noch immer ihren
roten Mund auf meinem.

Ich beschloß ein Boot vom Steg
zu lösen und dann sah ich wieder
ihre ausgestreckte Hand.

Ich ruderte auf den See hinaus.
Die Holzpaddel tauchten geräuschlos
in das klare Wasser.

Sie saß im Heck des Bootes.

Ich sah, wie die Sonne auf ihre
rosige Haut fiel und ihren
verheißungsvollen Blick.

In der Mitte des Sees hörte ich auf
zu rudern und wir glitten dahin,
genauso wie damals.

Als meine Hand durch
das Wasser fuhr und
ich versuchte, es aufzuhalten.

Aber es rann immer wieder
durch meine Finger.

Wie diese Erinnerung.

Tanz den Nietzsche

Der erste Kuss.
Die erste Zigarette.
Die erste Nacht.
Euphorie.

Die Enttäuschungen.
Der Hass.

Melancholie.

Die Geburt.
Der Spass.

Musik.

Komm doch, tanz mit mir!
Wirbel durch die Luft.
Komm doch, lach mit mir!
Laut, wie von Sinnen.

Tanz, im
Taumel der Zeit.

Retrospektive

Sartre saß zwischen
de Beauvoir und Guevara.

Mit nackten Füßen im Sand,
am Strand von Varadero.
Sie blickten verträumt
über die Wellen, welche im
Wechsel mal von links nach
rechts oder rechts nach
links brachen.

Sartre nahm sein Brett,
stürmte ins Wasser,
brach durch die Wellen.
Gischt warf auf und
verschwand wieder im Wind.

De Beauvoir blieb zurück, machte
Photos von Sartre und Guevara,
der entspannt an der Zigarre zog.

Sartre setzte an, paddelte, stand
und fuhr die perfekte Welle.

Er bemerkte nicht den Mann, der
mit gleicher Richtung auf
gleicher Welle fuhr.

Als er das Gesicht des Mannes
dann plötzlich vor sich sah,
spiegelte sich der Schrecken
in seinen Augen.

Dann trafen sich ihre Köpfe
mit voller Wucht und das Blut
spritzte über ihre Gesichter.

De Beauvoirs Kamera fiel,
Sartre tauchte ins Wasser.

Es rauschte.
Sein Herz pochte und alles
drehte sich um ihn.

Sekunden später tauchten
Sartre und dieser Mann
wieder auf.

Sartre erkannte ihn und schrie
ihn an: »Baader du Arschloch!«.

Dann schlug er ihn mit der
rechten Faust in sein
blutendes Gesicht.

De Beauvoir stand sprachlos da,
als er das Wasser verließ.

»Verdammt nochmal!«,
schrie Sartre wutentbrannt,
»Das hätte was richtig Gutes,
was Großes werden können!«

Che nickte, klopfte auf
seine Schulter und sagte:
»Wie Recht Du doch hast!
Das hätte wirklich
was Gutes, was Großes
werden können.«

Strandnah

Sonnenbrille, Shorts,
Flip-Flops.

Ich drückte die Zündung und
fuhr an den Tempeln vorbei
hinunter zum Meer.
Sah den Strand, die
Palmen im Wind und
die Brandung.

Ich roch die Seeluft und
das Salz, genoss die Aussicht.
Von hier sah ich in der Ferne
Vulkane und Fischerboote
im Meer.

Alles war rein, so klar.

Und in dieser Einfachheit,
dieser Leichtigkeit,
verharrte ich.

Jeden Tag.

Blinder Passagier

Der Klang dieser Violine,
war wie ein einsames Boot,
wie eine Nussschale,
zwischen Wellenbergen.

Hinfortgetragen, wie
ein Boot ohne Kapitän,
im Sog der Gezeiten.

So trieb man dahin,
über ein schwarzes Meer,
auf dem sich der Mond
im Wasser spiegelte.
Man war erblindet.
Gefangen, im Sog
der Gefühle.

Hilflos stand man den
Klängen gegenüber.
Und dem Schlussakt,
der es immer vermochte,
dich mitzunehmen.

Der Klang dieser Violine.
Entmachtend.
Unheimlich schön.

So trieb man dahin
und verschwand
in der Stille.

Lagerfeuer

Ich war wieder zurück,
auf meiner Insel.

Um mich herum das Meer.
Kokusnüsse lagen im Sand.
Ich stand im Wasser und
holte mein Netz ein.

Das Lagerfeuer brannte
bereits am Strand.

Mit der Machete öffnete ich
eine Kokosnuss und den Fisch
steckte ich auf einen Stock
über dem Feuer.

Sofort stieg Rauch auf.
Krebse liefen über den Sand,
die Flammen tanzten.
Schatten kamen und
gingen wieder.

Nur noch das Feuer.
Der Fisch.
Ich.

Die Stimme

Zwischen den Hügeln
verlief diese eine Schneise.
Nach ein paar Schritten
war ich endlich am Ziel.

Die Reise war mühsam und
bis zu meiner Rückkehr war
ein Jahr vergehen.

Hier wartete etwas auf mich.
Was es sein sollte,
wußte ich nicht.

War nur meiner Stimme gefolgt,
mit dem Boot über das Wasser,
quer durch den Dschungel.
Strapazen auf mich genommen
und nun stand ich endlich hier.

Doch hier war nichts!
Nur der Wind, ein paar Vögel und
das Dorf hinter dem Tempel.
Alles wirkte so still.
Menschenleer.

Mein Blick schweifte zum Tempel
und dem mächtigen Banyan Baum,
dessen Äste von allen Seiten hingen.
Wie bei einem Krieger, der vor
lauter Erschöpfung seine Arme
hängen lässt.

Enttäuschung breitete sich aus,
denn ich war dieser Stimme gefolgt.
Und nun konnte ich nichts fühlen.
Ich hatte große Dinge erwartet,
daß hier etwas passieren würde.
Daß eine Person auf mich wartet
oder eine Nachricht zu finden wäre.
Wie töricht war das von mir.

Ich suchte etwas.
Zumindest dachte ich es.
Oder verhielt es sich anders?
Vielleicht suchte mich etwas?
Und nun hatte es mich gefunden?

Als ich das Dorf verlassen wollte,
standen drei Kinder auf dem Weg.
Mit einem roten Drachen.

Ich machte ein Polaroid von ihnen,
sie nahmen es in die Hand, blickten
verwirrt auf das Papier und schauten
mich fragend an.

Schließlich entwickelte sich das Bild
und als sie sich im Bild erkannten,
rannten sie, wie in Panik, davon.

Das Foto blieb in diesem Dorf.
Vielleicht wird es eine Wand zieren
oder eine Geschichte erzählen.
Schon der nächste Regen würde
meine Fußabdrücke verwischen.

Aber auch ich nahm etwas mit.
Die Stimme, der ich gefolgt war.

Wir decken uns zu

Deine Hände berührten mich,
ich spürte deine Wärme und
deine Lippen, die mich küssten.

Wir deckten uns zu und schliefen
mit dem Gefühl, in dieser Welt
nicht mehr allein zu sein.

Etwas später hörte ich,
wie der Wecker schrillte.
Und dann wurde mir bewußt,
daß ich allein im Bett lag.

Hoffentlich erlebe ich alles
noch einmal wieder, nur noch
ein einziges Mal.

Komm denk an mich!

Les Alpilles

Der Weg schlängelte sich, vorbei
an Büschen von Thymian und
Rosmarin.

Reine, noch unverbrauchte Luft
am Morgen, es war kalt und man
konnte den eigenen Atem sehen.
Aber schon bald würde die Sonne
alles erwärmen.

Dann würde er noch hier sein,
in dieser Schlucht, umgeben von
diesen weißen Felsen.

So folgte er dem Pfad, der ihn
weiter in diese atemberaubende,
surreale Landschaft zog.

Er wurde langsamer, stoppte und
setzte sich auf einen dieser glatten,
noch kalten Felsen am Wegesrand.

Eine erste warme Brise wehte einsam
durch die Schlucht, als in der Ferne
eine Melodie ertönte.

Für einen kurzen Augenblick wurde
es warm und diese Melodie kam ihm
irgendwie bekannt vor.

Er lief weiter auf dem Pfad, duckte
sich vor den Ästen der Büsche, die
wie ausgestreckte Krallen nach ihm
greifen wollten.

Die Melodie war noch zu hören, als er
sah, daß ein Fels den Weg blockierte.
Nun würde er wohl nie den Ursprung
dieser Melodie erfahren.

Doch dann entdeckte er in der Ferne,
auf einem Felsen stehend, eine Frau
mit langen blonden Haaren in einem
schwarzen Kleid.

Sie war es also, die diese sanften
Klänge auf einem silbernen
Instrument spielte.

Und plötzlich erinnerte er sich wieder
an diese Melodie, hatte sie
fast vergessen.

Satie's Gymnopédie No. 3.

Er lauschte den Klängen, wollte
an nichts mehr denken, nur noch
in diesem Moment leben.

Um der Realität zu entfliehen.

Momentum

Alles begann
sich zu drehen.
Ich taumelte durch
Raum und Zeit.

Sah helle Sterne
aufblitzen.

Und für einen
kurzen Moment
verließ ich
meinen Körper.

Im Rausch der
Gefühle.

Wehrlos, willenlos,
schwerelos.

So flog ich,
mit ihr,
davon.

Barfliege

Gegen Mitternacht,
in einer verrauchten Bar,
irgendwo in der Provence.

Da schrie mich dieser Typ
aus Paris von der Seite an.
Ich verstand kein Wort,
grinste einfach zurück, doch
er rückte mir weiter
auf die Pelle.

Wir standen nah, wie
Boxer im Clinch und dann
schrie er wieder irgendwas.
Er stank unheimlich nach
Alkohol, starken Zigaretten
und was weiss ich noch.

Er griff sich in den Mund,
zerrte an seinen Zähnen,
riss sich sein Gebiss heraus.
Spucke glitt daran in
langen Fäden herunter.

Dann knallte er sein Gebiss
auf den Tresen, schrie
nochmal, hob dazu mahnend
seinen Zeigefinger in die Luft
und verließ die Bar.

Sein Gebiss ließ er liegen.

Ich sah es noch eine Weile an,
trank meinen Pastis aus
und ging dann ebenfalls.

Er hatte Recht.
Was für ein Scheißtag!

Durch die Nacht

Das Leuchten in deinen Augen.
Wie schön konnte es sein.

Doch nun war hinten in der Ecke
etwas anderes in diesen Augen,
sowas wie Trauer.

Lass los.
Fang von vorne an.

Das Leuchten in deinen Augen.
Wie ein Sonnenaufgang.
Lass sie wieder leuchten.
Für mich, für uns alle.

Dann wirst du das Leuchten
auch in meinen Augen
finden.

Paradies

Ein Ort mit sonnigen Hügeln,
wo bunte Blüten blühen, frische,
grüne Gräser die Wege säumen.

Wo alte Bäume noch Schatten
spenden und frisches Obst
in der Sonne reift.

Wo klare Flüsse, azurblauer
Himmel den Tag bestimmen.
Wo das Glück in Dir lebt.

Er würde den Weg dorthin
kennen, sagte er immer wieder
und er wäre auch bereit,
mir diesen Weg zu zeigen.

Doch er starb am gleichen Tag,
noch bevor die rote Sonne
in die Hügel tauchte und
mit ihr der Trauer kam.

Gute Reise.

Bar Alphecca

Sein Glas war blutrot gefüllt,
wie sein verletztes Herz.

Glitzerten dort hinten
Augen von Leoparden?
Trunken vom Wein
trübte sich sein Blick.

Ein letztes Mal
griff er nach ihr,
wollte sie zurückhalten,
doch sie entrann durch
den Tumult.

Er kochte vor Wut,
warf sein Glas an die
blaugetünchte Wand.

So entstand ein Fleck
in Form einer Krone.

Ein Zeuge der Zeit
versprach das Blaue
vom Himmel.

Alles was bleibt

Der Mensch
definiert sich
durch 21 Gramm.
Unterscheidet sich
durch 21 Gramm.
Führt Kriege mit
diesen 21 Gramm.

Tötet, lebt, lacht.
Weint und liebt.
Mit diesen 21 Gramm.
Mit Sinn, ohne Sinn.
Unter seiner Last
von 21 Gramm.

Schafft neues Leben mit
neuen 21 Gramm.
Ein kleiner Unterschied
am Ende.

Zwischen Leben und Tod
liegen 21 Gramm.

Kein Applaus

Er landete mit dem Gesicht
auf der Seite und spürte
diese Leere, die ihm seitlich
aus dem Mundwinkel floss.

Eine Leere, die sich weiter
ausbreitete, um dann zum
Erliegen zu kommen.

In seinen Augen spiegelte
sich tiefe Schwärze.
Schweiß auf seiner Stirn.
Weit aufgerissene Pupillen.
Schrecken und Trauer in ihm.

Er fühlte starke Müdigkeit.
Seine Augen fielen zu,
ganz langsam, wie der rote
Vorhang im Theater.

Dann war er woanders.
Bekam nicht mehr mit, wie
das Publikum in den Rängen
und Balkonen erstarrte.
Hörte nicht mehr das
Raunen in der Menge.
Kein Applaus.
Kein Blitzlichtgewitter.

Fine.

Totenstille

Auf der Strasse liegt
das Glück, dachte ich mir,
als die Tür hinter mir
ins Schloss fiel.

Hinaus in die Nacht.
Die Luft war klar und rein.
Noch schliefen alle Wünsche,
schliefen die Erwartungen.

Ich ging los, in Richtung
der Autobahn.

Totenstille.

Vor mir lag die Nacht.
Und ein Stück Karton.
Auf dem geschrieben stand:
»Egal wohin...«.

Erwartungslos hielt ich den
Karton zur Straßenseite.

Plötzlich erhellte sich alles
in gelbem Scheinwerferlicht.
Hinter mir startete ein Motor
und dann stoppte neben mir
ein rostiger, schwarzer 68'er
Fastback.

Ich schmiss den Karton weg und
stieg ein, ohne etwas zu sagen.
Der Fahrer war kräftig, Ende 30.
Er trug eine Sonnenbrille und
war ganz in schwarz.

Auf dem Kupplungsknüppel
steckte ein schwarzer Totenkopf.
Der Mann war reglos, schaute
nicht zur Seite und schwieg.

Er trat er auf das Gaspedal.
Der Motor heulte auf,
Reifen drehten durch.

Und dann sagte er:
»Egal wohin«.

Im Rausch

Ich konnte dich
nicht mehr sehen.
Dich nicht mehr
finden.

Konnte nichts
mehr hören.
Viel weniger fühlen.

Sah nur noch Lichter.
Hörte laute Musik.

Zu viele Gesichter.

Ich versteckte mich
im Rauch.

Tanzte bis der Morgen rief
und die Musik verstummte.

So verflogen alle Sorgen.

Ich fragte schon lange
nicht mehr nach dem Sinn.
Auch wenn alles
immer dunkler wurde.

Denn ich wußte eines
ganz genau.

In unserer Seele,
da tragen wir Musik.

Für immer.
Und ewig.

Die Seele schreit

Vor ein paar Jahren,
da fuhr ich auf einer
Schotter-Piste.

Sie brachte mich immer
zu einem Pfad, der durch
einen Dschungel zum Strand
führte.

Affen hingen in den Bäumen.
Folgten mir durch das Dickicht.
Bunte Vögel kreischten
in den Ästen.

Jahre später, war diese
Schotter-Piste unter einer
Betonschicht begraben.

Bäume mußten weichen.
Kein Schatten mehr.
Keine Vögel oder Affen.
Den Weg zum Strand,
den gab es nicht mehr.
Zuviel Natur.
Alles musste weg.

Stattdessen viele reiche,
schöne Menschen und
ein Golfplatz.
Selbstverliebte,
dumme Menschen mit
arrogantem Lächeln.

Mir wurde schlecht.
Ich blieb stehen und schaute
verstört auf das Schild:
»Golf Carts crossing».

Wut stieg hoch.

Neben mir stoppte ein Caddy.
Ich ergriff einen Golfschläger und
blickte in erschrockene Augen.

Auf dem Schläger war ein
christliches Kreuz und der
Name "Baptiste" eingraviert.

Das Endstück funkelte, wie ein
verdammter Regenbogen.

Paradox das Ganze.

Dann holte ich aus.
Mit einem mächtigen Schlag
spaltete ich das Golfplatz Schild
in zwei Teile.

Ihr habt diesen Ort zerstört.
Habt ihn mir genommen.

Ihr Mörder!

Schicksal

Stell dir vor du sitzt
im Flugzeug und es
stürzt ab.

Stell dir vor du gehst
aus dem Haus und
wirst vom Blitz getroffen.

Es kann dich zu jedem
Zeitpunkt erledigen.

Manche Menschen nennen
das Schicksal, aber ich
nenne es Ungerechtigkeit.

Wenn es soweit ist,
möchte ich auf eine
schöne Zeit zurückblicken.
Ich möchte gelebt haben.

Einige können das nicht.
Das nenne ich Schicksal.

Filosofi Kopi

Unterwegs mit dem Becak
durch die Gassen von Jogja.
Vorbei an farbigen Häusern und
lachenden Kindern, die Tauben in
die Luft warfen.

Immer begleitet vom Smog,
Curry-Geruch, gebratenem Reis.
Der Fahrer zog friedlich an seiner
Kretek und schoß mit Vollgas
über die roten Ampeln.

Sein Motor schrie auf, wie ein
wild gewordenes Tier, während der
Muezzin zum Gebet rief.

Es ging durch immer engere Gassen,
bis wir einen Platz, umgeben von
einer weißen Mauer, erreichten.

Dort stand ein mächtiger Baum,
mit viel Schatten für all die
schlafenden Menschen.

Wir hielten, tranken starken,
schwarzen Kaffee und das Radio
spielte Zona Nyaman.

Für einen Moment spürte ich,
wie das hier früher wohl mal war.
Als es mehr Bäume gab und
keinerlei Smog.

Und als eine Stunde
noch eine Stunde war.

Trance

Es war schon dunkel,
als wir den Tempel
im Wald erreichten.

Die Zeremonie begann,
als der Mond hinter den
Wolken verschwand.

Ein Schrei im Tempel.
Der Gott war angekommen.
Priester liefen umher,
Auserwählte versuchten
einen Kris durch ihr Gesicht
oder ihre Brust zu stechen.

Verwandelte Wesen.

Menschen wurden zu Tieren.
Affen, Eichhörner, Schildkröten
oder ein schwarzer Rabe.
Sie bissen in Kokosnüsse,
versuchten zu fliegen, ekstatisch
zu tanzen oder auf dem Boden
zu schwimmen.

Der Gott war in den Körpern
der auserwählten Menschen.
Tiere übernahmen die Kontrolle.

Bis sie schließlich zu Boden fielen.
Dann holten sie Priester, mit
Gesängen und heiligem Wasser,
zurück.

Tiere wurden zu Menschen,
als der Mond über dem Tempel
ganz still und heimlich durch
die Wolken drang.

Schlaflos

Die Seele zerriss
wie ein Segel
im Sturm.

Und du schautest
in die Nacht
mit offenen Augen.

Hofftest, daß dich
der Schlaf verführt.

In diesem Bett, mit
zerrissenen Laken.

Sextant

Fischer mit Frau

Vor uns lag der Tunnel, wie
ein Fisch mit offenem Mund.
Der Motor heulte auf und
wir schossen hinein, in diesen
Schlund mit seinen gelben
Laternen.

Sie beugte sich aus
dem Fenster und ihre Haare
wehten im Wind.

Ich sah ihr Lachen.

Wir verschluckten die
Markierungen, wie ein
gieriges Insekt.
Schossen durch diesen Fisch
mit seinen zwei Köpfen,
bis er uns wieder ausspuckte.

Ihre Haare wehten im Wind.
In dieser Sommernacht.

959 DK 48

Es war schon warm
an diesem Sommermorgen
am Strand von Gruissan.

Das Rauschen des Meeres,
Seevögel flogen vorbei.

Zwischen den hölzernen
Pfahlbauten fuhr einsam
ein Auto dahin.

Der Arm des Fahrers
hing aus dem Fenster.
An seiner Seite,
eine schöne Frau mit
schwarzen Haaren und
rotem Schmollmund.
Sie schmiegte sich
mit ihrem Kopf
an seine Schulter.

Der Wagen rollte
fast lautlos dahin.

Aus heiterem Himmel
war ein kühler Windhauch
zu spüren.

Er drehte seinen Kopf zu ihr,
sah in ihre müden Augen,
ihre Träume.

Dann strich er durch ihr Haar
und flüsterte leise:
»Das war nur der Wind,
Betty«.

Opus 43, No.5

Jana legte ihre beiden
Finger auf meinem Mund,
bedeutete mir zu schweigen.
Dann drehte sie sich von mir.
Ihr transparenter Babydoll
verbarg nur knapp ihren Po.
Die rot lackierten Fingernägel
strichen über den Flügel.
Es roch noch immer nach Sex.

Jana hockte rücklings zu mir
auf dem Holzschemel vor
dem schwarzen Klavier.
Sie hielt kurz inne und
entlockte dem Klavier die
Klänge von Edvard Grieg.

Mondlicht schien herein.

Eine Träne lief über Ihr Gesicht,
als sie hörte, wie hinter mir
die Tür ins Schloss fiel.

Cabanon

Es hatte viele Jahre gedauert,
den Ort aus meiner Jugend
wiederzufinden, aber nun
war ich endlich hier, lief auf
den Spuren der Vergangenheit.

Damals, wie heute, war ich
vernarrt in diesen kleinen,
weißen Cabanon mit seinen
blauen Fensterläden.

Der alte Brunnen am Rathaus.
Die Klänge der Petanque Kugeln,
die aufeinander schlugen.
Der Geschmack von Pastis in
der einzigen Bar des Ortes.

Damals wußte ich nicht, daß ich
jemals zurückkommen würde.
Geschweige denn, daß ich in diesem
Cabanon übernachten würde.

Und nun saß ich hier, an der
Rückseite des Hauses,
an einem runden Steintisch,
mit einem Glas Frontignan.

Im Haus brannte schon das Feuer.
Es roch nach Holz und Lammfleisch.
Eine kalte Nacht stand bevor.

Der kleine Weg, der am Cabanon
vorbeiführte, endete in der Sonne,
wie ein Strohhalm in einer Orange.

Die letzte Wärme des Tages.
Ich nahm einen Schluck aus dem Glas
und die Wärme verteilte sich in mir.

Welch jahrelange Suche.
Endlich war ich wieder hier, an der
gleichen Stelle, wie vor 25 Jahren.

Als ich mir zufrieden eine Zigarette
ansteckte, verschwand die Sonne
hinter einer Bergkette.

Kein Licht war mehr zu sehen,
nur noch aus dem Cabanon.
Keine Geräusche, außer der
kalte Mistral und das Knistern
der Holzscheite im Kamin.

Nichts, einfach nichts störte
diese Stille.

Später aßen wir das Lammfleisch
mit frischem Baguette aus dem Ort,
tranken einige Flaschen Rotwein.

Dann schliefen wir ein.
Vor dem Feuer, in einem kleinen,
weißen Cabanon.

Irgendwo im Nirgendwo.

Interlude No. 1

Barfuß durch die Brandung,
den Sand unter den Füßen.

Das Wasser spritzte hoch,
alles roch nach Salz.

Ich rannte schneller.
Immer schneller und
schneller.

Bei Minute 1:43 verließ
ich den Boden.

Hob ganz langsam ab,
zu dieser Musik in
meinen Ohren.

»Verdammt Sandberg,
es funktioniert!« schrie ich.

Ich sah nach unten.

Meine Beine bewegten sich,
wie in Zeitlupe.

Ich schwebte dahin.
Mit Euphorie in den Adern.
Und so schoss ich
weiter empor.

Der Sonne entgegen.

Prilblume

Freundschaft ist
ein einsames Relikt
aus der Vergangenheit.

Dabei fühlte sich anfangs
noch alles so richtig,
so ehrlich und gut an.

Echte Freundschaft.

Der zugesteckte Ja, Nein,
Vielleicht-Zettel für die
vermeintlich erste Liebe.

Zahnpasta pur
nach der ersten
heimlichen Zigarette.

Südfrankreich.

Trockeneis.
Die Toten Hosen.
Richard Sanderson.

Küsse unter farbigen
Lichtern der Diskokugel.

Unvergessliche 80er Jahre.
Diese Zeit mit Musik
auf Bändern oder Vinyl.

Ich vermisse sie.

Nackt im Gras

An diesem Sommertag
tanzte sie splitternackt
durch den warmen Regen.

Sie legte sich erschöpft
mit pochender Brust
in das nasse Gras.

Scharlachrote Lippen,
Porzellanhaut auf sattem,
grünen Gras.

Regentropfen fielen auf ihre
nackte Haut wie Schnüre,
die aus dem Himmel hingen.

Sie streckte die Arme
und lag dann ganz still,
wie ein weißes Kreuz.
Ihre Rippen wurden sichtbar
und ihr flacher Bauch
hob und senkte sich.

Ihre steifen Brustwarzen.
Die Gänsehaut.

Wassertropfen glitten von
ihren Brüsten und rannen
über ihren Bauch.
Dieses Rinnsal floss weiter,
über ihre Scham hinweg,
zwischen ihre Beine
und versiegte im Gras.

Sie schloss ihre Augen,
hörte noch kurz den
gleichmäßigen Regen.

Und war dann eins
mit der Natur.

Neuanfang

Als ich diese Zeilen schrieb,
landete ein Schmetterling auf
meiner Hand.

Ich verharrte regungslos
und wir schauten uns an.
Genauso, wie vor Monaten.

So schön das alles auch war,
so absurd war doch alles.
Ich wollte noch etwas sagen,
aber ich ließ es bleiben und
so faltete diese Schönheit ein
letztes Mal die Flügel auseinander,
bevor sie mich endgültig verließ.

Entfernte sich mit Leichtigkeit,
folgte beschwingt neuen Zielen.

Wir hatten nichts mehr gemein,
hatten uns nichts mehr zu sagen.

Schon lange nicht mehr.

Le Grand Bleu

In einem weißen Segelboot,
auf azurblauem Wasser, ging es
hinaus auf das Meer, während
in meinem Ohr die passende
Ouvertüre spielte.

Im Heck des Bootes saß eine
gut aussehende Französin.

Unsere Blicke trafen sich öfter,
manchmal etwas zu lange,
aber sie lächelte immer zurück.
Die Fahrt über die Bucht war schön,
doch viel zu kurz, und so
verloren wir uns, noch bevor
wir uns kennenlernen konnten.

Und dann später im Zug,
auf der Rückreise, mit dem
Kopf an der Scheibe und diesem
Lied in meinem Kopf, da sah
ich sie noch einmal im Heck des
Bootes sitzen.

Draußen in der Bucht von Arcachon.

Ich wollte zurück, aber statt
etwas zu tun, blieb ich hinter dieser
Scheibe sitzen und sah zu,
wie die Welt vorbei rauschte.

Die Nacht tötete meine Gedanken,
wie ein Fegefeuer, und als ich endlich
schlief, verteilte sich das Band
der Musikkassette im Gerät,
wie Schlangen in einer Grube.

Und dann lag alles still da,
in meiner schlafenden Hand.

Wie Erbrochenes.

Momente

Die Zeit
löscht
Erinnerungen.

Kennt Geduld.
Kann Wunden heilen.

Die Zeit.

Wir treiben
durch die Zeit.

Mit einem Ass
im Ärmel.

Zeitlos
werden sie bleiben.

Unsere unvergesslichen
Momente.

Pink turns Blue

Zwanzig Jahre später
schaute ich wieder
in das gleiche Gesicht.

Es begleitete mich,
als Aufdruck auf einem Shirt,
das es schon lange
nicht mehr gibt.

Aber als ich das Tape fand,
die Musik laut aufdrehte,
sah ich mich wieder.

Hatte meine Erinnerungen
wohl tief in mir vergraben.

Ich sah mich wieder, vor
einem Spiegel stehend, mit
einer Flasche Bier in der Hand.

Dieser schreiende Kopf hatte
mich oft begleitet, wurde zum
treuen Kompagnon auf
so manchen Parties.

Dieser schreiende Kopf
aus Zeiten, die heute
niemand mehr versteht.

Er schlummerte unter
meiner Haut.
Ein Mahnmal aus der
Vergangenheit.

Dieser schreiende Kopf war
wieder da und zog mit mir,
wie in alten Zeiten,
um die Häuser.

Rondes de Printemps

Die Oboe erklang
und paarte sich
mit der Geige.

Ohne Schwere.
Voller Harmonie.

So glitten sie dahin.

Glutvoll der Leichtigkeit
unseres Daseins.

Tanzten den Reigen
im Rad des Seins.

Seelenfänger

Die Musik ist eine Hure.
Ein Seelenfänger.

Sie lullt dich ein.
Nimmt dich mit
an die Orte aus
Deiner Erinnerung.

So war das auch gestern.

Am Ende, bleiben Dinge.
Auch leere Flaschen,
ausgedrückte Zigaretten.

Und die Hoffnung, die
an diesem Abend starb.

Genau hier.
Unter meinem Zeigefinger.

In diesem Aschenbecher.

Unter Sternen

Draußen,
in der Dunkelheit,
im Regen.

Es war warm
in dieser Nacht.

Der Wind wehte,
erzählte Geschichten.

Und Palmenblätter
spielten Melodien.

Später duschten wir
unter den Sternen.
So surreal.

Es fühlte sich fast
zu perfekt an.

Schatten

Da lief ein Schatten
durch die Nacht.

Der trank und rauchte.

Manchmal blieb er stehen,
drehte sich um und wartete.
Dann ging er wieder weiter, fiel hin,
rappelte sich wieder auf.

Er drehte sich um, blieb
dann stehen und trank.

Dann trottete der Schatten weiter,
bis eine Wand seinen Weg
versperrte.

Er kletterte hoch, rutschte ab.
Immer wieder.

Seine Hände kratzen an
der Wand, fanden keinen Halt.

Der Schatten fiel auf die Knie
und stand wieder auf.
Verharrte, schaute verwirrt.
Verängstigt drehte er
sich um.

Rannte wieder zurück.
Zum Anfang.

Da lief ein Schatten
durch die Nacht.

Möja

Mit dem alten Hollandfahrrad
ging es über den Kiesweg.
Die Reifen quälten sich durch
den Kies und so ging es vorbei,
an all den roten Häusern,
hinunter in die kleine Bucht.

Die Bremsen quietschen, Kies
prasselte zur Seite und ich ließ
das Fahrrad in den Rasen fallen.

Dann rannte ich zum Holzsteg,
der in die Bucht ragte, vorbei
an den kleinen Booten, die am
Steg vertäut waren.

Und da stand er noch immer.
Dieser weiße Holzkutter.
Ich spürte, es war gut, wieder
hier zu sein.

Auf dem Steg saß noch
der gleiche Fischer, wie in all
den Jahren zuvor.
Er flickte seine Netze.

Alles war so, als ob ich nie
weggewesen wäre.

Noch das gleiche Bild.

Es tat gut,
wieder dort zu sein.

Alles beim Alten.

Gedankenblitz

Trunken von Ideen.
Süßlich berauscht.

Nur einen Augenblick.

Gestrige Tristesse.
Existierte nicht mehr.

So kämpften wir und
schossen um uns,
auf alte Geister.

Für neue Ziele.

Hielten uns fest,
schon kundig
des Niedergangs.

Das Feuer der Euphorie
brannte so schnell.

Sommertag

Ich lief barfuß auf nassem
Moos durch den Wald, als
die Sonnenstrahlen durch die
Äste der Fichten auf den
Waldboden trafen.

Das Holz, das Moos, die Blätter,
alles roch wie damals, so kurz
nach dem Regen, an einem
Sommertag.

Der Pfad führte mich zu einem
Teich mitten im Wald, umgeben
von Bäumen und Stille.
Am Ufer stand noch immer dieser
mächtige alte Baum, mit seinen
gewaltigen Ästen.

In der Rinde des Baumes sah ich
ein geritztes Herz und Buchstaben.

An einem Ast hing ein alter Autoreifen
an einem Strick herunter.
Ich sprang auf den Reifen und
schwang über das Wasser,
das unter mir lag, wie ein Spiegel
der Vergangenheit.

Als ich hin und her schwang,
überfielen mich Erinnerungen
an Lagerfeuer, Dosenbier und
die erste Liebe.

Was waren das für Zeiten, mit
all unseren Träumen, als die Welt
noch wie ein Buch, mit leeren Seiten
und offenem Ende, vor uns lag.

Der Schwung ließ nach, also
sprang ich, flog durch die Luft,
in das kalte Wasser unter mir.

Als ich auftauchte, ließ ich mich
auf dem Wasser treiben und
blickte in den blauen Himmel.

Ich fühlte mich gut
an diesem Sommertag.

Das Ende

Die Welt stand in Flammen.
Niemand konnte mich
mehr retten.

Außer Du.

Doch auch mit dir
zerbrachen die Träume.

Und als die Sonne unterging,
brannten die Kornfelder wieder.

Verbrannte Erde,
verbrannte Seelen.

Die Kornfelder brannten.
Sie brannten wieder.

Es war zu spät.

Ozean der Zeit

Momente vergingen,
wie im Blutrausch.

Tage rannten voller Panik
vor uns davon.
Entführten unsere Liebe,
stahlen die Träume.

So kochte unser Blut
in den Adern der Zeit.
Und wir spürten
unsere Ohnmacht.

So weit hinausgetrieben,
wie Schiffbrüchige
im Ozean der Zeit.

Auf und Davon I

Am Strand sitzend,
schaute ich
über das Meer.

Hörte das Rauschen
der Wellen.

Und am Horizont,
da sah ich Lichter,
die verschwanden.

Dann wünschte ich oft,
ich wäre eines der Lichter
und könnte einfach so
verschwinden.

Wangerooge

Bei Ankunft wartete schon
die alte Inselbahn.
Voller Freude sprang ich
auf die Eisentreppe des Zuges.

Mit erwartungsvollem Blick
schob ich die Tür zum Abteil auf.
Ein offenes Abteil der 2ten Klasse,
mit Sitzbänken aus Sprungfedern
und großen Panoramafenstern.

Der Zug rollte an, ich öffnete das Fenster,
lehnte mich hinaus und spürte,
wie der Wind an den Haaren zerrte.
Wir fuhren durch Salzwiesen und Priele.
Es roch nach frischer Meeresluft und
über dem Zug kreisten Silbermöwen.

Ich zog den Kopf wieder aus dem Fenster,
lief durch das Abteil, sprang vom Zug
und rannte dann durch die Salzwiesen
neben dem Zug her.

Nach ein paar Minuten, ließ ich mich
etwas zurückfallen und sah schließlich
eine Eisentreppe, die zu einem anderen
Abteil führte.

Ich griff nach der Einstiegshilfe, schwang
mich auf die unterste Treppe und hielt mich
mit ausgestrecktem Arm fest.

So lehnte ich mich aus dem fahrenden
Zug, genau wie all die Jahre zuvor.

Spürte die Sonne in meinem Gesicht
und schloß meine Augen.

Statt der Liebe

Mit Flaschen in den Händen,
rannten wir durch die
dunklen Gassen von Paris.

Irgendwo zwischen Pigalle
und der Rue Victor Massé.
Wo mehr Träume auf
den Straßen lagen, als
Frauen in sauberen Laken.

Wir tanzten trunken auf
den Lüftungsschächten,
bis die Welt um uns herum
von schwarz-weiß in
Farbe überging.

Als bunte Neonreklamen
Träume gegen Geld
anboten.

Und die Romantik dem
Dreck und Mammon
wich.

Galene

Durch Täler von Korallen
tanzten die Schatten.

In Gebirgen ohne Wolken,
ohne Regen oder Wind.
Dort zogen Fische ihre Kreise,
trotzten den Gezeiten.

Und weiter draussen,
in den Tiefen des Meeres,
da herrschte Poseidon,
begleitet von Nereiden.

Die Sehnsucht zum Meer.
Dem Atlantik getrotzt.
Ein Anker auf der Haut.

Ich durfte ihn tragen,
in die Ferne schweifen.

Das Abenteuer suchen.

Chopin

Ich fuhr wieder auf
dieser Straße am Meer.

Der Fahrtwind wehte durch
meine Haare, während in
meinem Kopf Chopin spielte.

Und so sanft, wie die Klänge
seines Pianos, glitt ich dahin,
während die Straße und ich
zu einem Anfang
ohne Ende wurden.

In diesem Moment hielt
die Zeit an, nur weil Chopin
das so wollte.

Die Sonne flackerte durch
die Palmenblätter und
zeichnete Schatten auf die
Straße und in mein Gesicht.

Und während ich dahinglitt,
gingen mir zahllose Gedanken
durch den Kopf.

Verließen mich so schnell,
wie sie kamen, wie Wellen,
seit Millionen von Jahren.

Und dann fühlte sich
alles so leicht an.
So unermesslich leicht.

Während mich die
Straße davontrug.

Aquitanien

Pastis mit Gouloises.
Endloser Atlantikstrand.
Musik bis in die Nacht.

Am Lagerfeuer schlafend.

Ihr Duft auf meiner Haut.
Nach Sinnlichkeit.
Nach Freiheit.

Aufbruch in
die Unendlichkeit.

Clochard

Am Ufer der Seine fielen
gelbe Blätter von den
Bäumen und drehten
ihre Kreise im Wind.

Ein Mann lag reglos
auf der Bank.

Den Kopf verdeckte
eine blutgetränkte Seite
des "Le Monde".

Fast wie ein roter
Schal aus Seide.

Weiße Tauben flogen
über das Wasser.

Das Wasser rauschte.

Ein Hund stoppte,
hob das Bein
und pinkelte.

D218

Es roch nach Meer, Austern,
Baguette und Gitanes.
Die Nacht am Strand von
Abatilles war kurz.

Rauchend, schnell, voller
Energie rauschten wir auf der
D218 dahin, als die ersten
Sonnenstrahlen den neuen
Tag ankündigten.

Aus dem Autoradio spielte
der Song L'Anamour.

Ich hielt meinen Kopf aus
dem Seitenfenster des R16 und
blies voller Genuss den blauen
Rauch der Gitanes in den Himmel.
Die Straße saugte uns ein und
trug uns durch mächtige
Pinienwälder.

Am Étang de Cazaux stoppten wir
unter den schattigen Pinien.

Der See lag ganz glatt vor uns.
Wir rissen die Autotüren auf,
rannten über den Sandstrand,
hinein in das Wasser und ließen
uns nach ein paar Metern fallen.

Wir blickten zurück zum Ufer
und sahen den R16 unter den
Pinien stehen.

Mit seinen gelben Scheinwerfern
und den aufgerissenen Türen,
wie ein offenes Ende.

Und aus dem Radio spielte
Les Feuilles Mortes.

Die schwarze Rose

Ich nahm die Blume
und sie blühte auf.
Aber nach einiger Zeit
welkte sie.

Bei guter Pflege, aber
wohl schlechtem Wasser.

Vielleicht war das
der eigentliche Grund.
Genaueres wußte
ich nicht.

Ich warf sie weg,
voller Liebe,
konnte nichts mehr
verstehen.

Was war Liebe?

Meine Suche
führte mich weiter,
in sinnlose Leere.

Jonny

Über ihm die immer
gleichen Wolken.

Dennoch hielt er
seinen Schlüssel
fest in der Hand.
Für diese eine Tür,
hinter den Wolken.

Und so begab er sich
auf die Suche, nach
der Tür am Ende
des Regenbogens.
Seine Suche dauerte
ein Leben lang.

Nun ist er dort,
schaut auf uns
herab.

Und immer, wenn
es regnet, weiss ich,
wie er sich fühlt.

Lady aus Shanghai

Wie sie ging und
wie sie sprach.

Ihre roten Lippen.
Dieser Augenaufschlag.

Oh, Strudel der Leidenschaft.
Soll ich kopflos untergehen?

Sie hauchte Versprechungen
in meine Ohren.

Dieses Engelsgesicht.

Sie tanzte vor mir,
bis spät in die Nacht.

Und ich wollte untergehen.
In feurig schönen Bildern.

Wintertag

So nahm alles seinen Lauf,
an diesem verschneiten
Wintertag, als ein Mensch,
unbeachtet und einsam,
im Park, auf einer Bank saß.

Still und ohne Regung.

Selbst als schwarze Wolken
vorüberzogen und die Luft
ganz eisig wurde.

Als viele weiße Flocken
durch den Wind
aufgewirbelt wurden.

Und nur manche von ihnen
als Tränen endeten.

An diesem kalten Wintertag,
als der Tod sich selbst
einlud.

Halt Dich

Umarmungen.
Küsse und lange
Nächte.

Alles auf rot gesetzt.
Ein langes Spiel.

Wir lagen da,
eng umschlungen,
in verschwitzten Laken.

Hielten uns fest,
bis der Schlaf
uns holte.

Au Revoir Chérie

Die Bar stand auf Holzstelzen,
am Strand von Biscarrosse.

Wie ein hungriges Insekt
wartete es auf neue Opfer.

Ich trat ein, in die Leben anderer,
und trank literweise Jenlain,
bis ich rausgeworfen wurde.

Ich schlief dann oft am Strand.
Oft auch nicht allein.

Wie letzte Woche,
mit meiner Hand auf ihrer Brust.

Es roch nach Bier, Salz, Gitanes
und französischem Parfum.

Weiter unten am Strand
fuhren mächtige Strandraupen,
mit großen Scheinwerfern,
auf und ab.

Es war so verdammt dunkel
in diesen Nächten
am Strand.

All die Lichter sahen aus,
wie sich bewegende Sterne
am tiefschwarzen Himmel.

Ich lag gerne dort im Sand.
In dieser Dunkelheit.

Eins mit dem Kosmos.

Lavafeld

Steine knirschten
unter den Sohlen.
Staub wirbelte auf.

Die Sonne brannte
auf eine schwarze Decke
der Vergangenheit.

Am Fuße des Vulkans.

Tierlaute aus einem
verzauberten Wald.
Diese grüne Oase im
schwarzen Lavafeld.

Hier traf der Tod
auf neues Leben.

Ricard

Kann Sterne.
Von rechts nach
links bewegen.

Kann Wolken
verschwinden lassen.
Kann Wellen
einfach teilen.

Kann Blitze
lenken.
Kann Winde
verenden lassen.

Kann Wasser
in Wein verwandeln.
Kann die Sonne
aufgehen lassen.

Allmächtig bin ich.

Nach diesem Schluck
Pernod.

Trespassers William

Es roch nach Meer.
Nach Tabak,
Holz und Salz.

Die Geräusche
der Brandung.

Das Feuer brannte,
am Strand, in rotgelben
Flammen.

Sie verschlungen das Holz,
erzählten Geschichten.

Ich ließ mich langsam
nach hinten fallen,
nahm einen tiefen Zug.

Dann gehörte mein Blick
nur noch den Sternen.

Diesen Sternbildern und
den fernen Galaxien.
Lichtjahre entfernt.

Ein Stern fiel vom Himmel.

Und ich lag im Sand, mit
ausgebreiteten Armen
und dieser Musik im Ohr.

Epilog - Die Feurio Playlist

»Musik ist ein Mittel, das dunklen Dramatismus und pure Entrückung, Leiden und Ekstase, feurige und kalte Wut, Melancholie und wilde Heiterkeit zum Ausdruck bringen kann - und die subtilsten Nuancen und das Zusammenspiel dieser Gefühle, deren Ausdrucksstärke in Malerei und Skulptur unerreichbar ist.« *Dmitri Schostakowitsch*

Es sind zahlreiche Symphonien und Ouvertüren, die mich beim Schreiben inspirieren. Neben klassischer Musik spielt natürlich auch zeitgenössische Musik ein große Rolle. Immer wieder sind in meinen Büchern Angaben zu den genauen Titeln zu finden. Vielleicht lohnt es sich, diese Passagen zusammen mit der jeweils erwähnten Musik zu lesen. Hier die Playlist der Alben die ich höre, wenn ich schreibe.

Abel Korzeniowski - Nocturnal Animals
Alexandre Tharaud - Rachmaninov Concerto No. 2 & 5
Benjamin Biolay & Melvil Poupaud - Songbook
Bertrand Belin - Parcs
Brassens sur parole(s) - Various Artists
Chad Lawson - The Chopin Variations
Claude Debussy - 111 Masterpieces
Cristina Ariagno - Erik Satie Complete Piano Works
Current Joys - A Different Age
Dimitri Shostakovich - Shostakovich Plays Shostakovich
Feu! Chatterton - L'oiseleur
Florent Marchet - Courchevel
Frédéric Chopin - 200th anniversary edition
Gaël Faure - Regain (Réédition)

Gisbert zu Knyphausen - Hurra! Hurra! So nicht.
Gustav Mahler - Essential Works 2010
Håkon Austbö - Edvard Grieg Piano Works
Herbert von Karajan - Beethoven Symphonies & Overtures
Jacques Brel - 50 Plus Belles Chansons
Jane Birkin - Mes Images Privées De Serge
Joep Beving - Solipsism
Jonas Kaufmann - Schubert Winterreise D. 911
Julian Prégardien & Eric Le Sage - Schumann Dichterliebe
Léo Ferré - The Best of Léo Ferré
Leonard Bernstein - Sibelius Symphonies Nos.1, 2, 5 & 7
Max Richter - From Sleep
Michel Polnareff - Nos maux mots d'amour
Nick Cave & The Bad Seeds - Ghosteen
Peter Sandberg - String Works
Richard Wagner - The 50 Most Essential Masterpieces
Serge Gainsbourg - Best of Early Years
Sigur Ros - Valtari
The Distillers - Coral Fang
Yann Tiersen - Portrait

Made in the USA
Middletown, DE
05 May 2022